das deutsch buch

Begleitheft

für Lehrerinnen und Lehrer

Ingrid Weger
Sabine Schwabl

3

Jugend & Volk
westermann

Ingrid Weger • Sabine Schwabl

das deutschbuch 3

Begleitheft

für Lehrerinnen und Lehrer

Jugend & Volk
westermann

INHALTSVERZEICHNIS

Weitere Trainingsaufgaben, Schülerarbeiten und Lösungshilfen zum Schulbuch finden Sie auf unserer Webseite: www.westermanngruppe.at

[2019 – 01001]

Druck: Westermann Druck Zwickau GmbH

zu Schulbuch-Nr. 170 356

das deutschbuch 3 – Aktualisierung
Begleitheft für Lehrerinnen und Lehrer
Weger, Schwabl

ISBN 978-3-7100-**4021**-4

Hainburger Straße 33, 1030 Wien
Tel.: 01 533 56 36-0, Fax: 01 533 56 36-15
E-Mail: service@westermanngruppe.at
www.westermanngruppe.at

1 EINLEITUNG

Sehr geehrte Kolleginnen und Kollegen!

Das Lehrwerk „das deutschbuch“ ist für Schülerinnen und Schüler der berufsbildenden höheren Schulen konzipiert und basiert auf den Bildungsstandards DEUTSCH für die achte Schulstufe. Es führt auf die 13. Schulstufe und zur standardisierten Reife- und Diplomprüfung hin, indem nachhaltig und kumulativ gearbeitet wird.

Der Reihe liegt ein neues Konzept des individualisierten Arbeitens zugrunde. Durch den Aufbau der Bände wird die neue Lehrplangeneration der berufsbildenden höheren Schulen, die modular (semestriert) und kompetenzorientiert ist, abgedeckt und kompetenzorientiertes Arbeiten ermöglicht.

Aufbau der Reihe

I. Jahrgang	II. Jahrgang	III. Jahrgang	IV. Jahrgang	V. Jahrgang
 + Begleitheft für Lehrerinnen und Lehrer 1	 + Begleitheft für Lehrerinnen und Lehrer 2 + Semesterprüfung Deutsch 2 (Semester III/IV)	 + Begleitheft für Lehrerinnen und Lehrer 3 + Semesterprüfung Deutsch 3 (Semester V/VI)	 + Begleitheft für Lehrerinnen und Lehrer 4/5 + Semesterprüfung Deutsch 4/5 (Semester VII–X)	
 + Übungsband 1/2, Lösungen				

Aufbau des Bandes 3

„das deutschbuch 3" beginnt – wie die Bände 1 und 2 – mit der Festigung bereits erworbener Kompetenzen in den Bereichen Lesen, Schreiben und Reflexion anhand von Sachtexten und literarischen Texten. Der Schwerpunkt des 3. Bandes liegt auf der Festigung der Kompetenzbereiche **Lesen und Schreiben** (Kapitel 3 und 6), um kontinuierlich und nachhaltig auf die teilstandardisierte Reife- und Diplomprüfung hinzuarbeiten:

- Verfeinerung der Lesetechniken als Vorarbeit für die Textarbeit
- Aufbau von Textsortenwissen
- Training relevanter Schreibhandlungen
- prozessorientiertes Schreiben
- intensives Training der Lese- und Schreibkompetenz sowie der Fähigkeit zur Reflexion im Hinblick auf die teilstandardisierte Reife- und Diplomprüfung

Das **Portfolio als Arbeits- und Lernmethode** wird im Kapitel **„Portfolio"** intensiviert: diverse Lese- und Schreibanlässe für die Portfolio-Arbeit, Filme und ihre Romanvorlagen, Schwerpunktsetzung im Kulturportfolio. Mit den Arbeitsaufträgen für das Kulturportfolio wird angeregt, die Schülerinnen und Schüler für die vielen Facetten von Kunst und Kultur zu sensibilisieren, aber auch zu animieren, selbstständig und kreativ zu sein. Nicht vergessen werden darf in diesem Zusammenhang, dass gerade bei der Arbeit mit dem Portfolio die Kompetenzen Lesen, Schreiben und Reflektieren vernetzend aufgebaut werden.

Anhand diverser Übungen wird auch die **mündliche Kommunikation** trainiert: Die Kunst des Redens, Debattierens und Diskutierens sowie des Moderierens sind Themen im Kapitel **„Kommunikation"**.

Die Welt der elektronischen **Medien** wird mittels unterschiedlichster Texte aus dem Bereich der medialen sozialen Netzwerke thematisiert und kritisch hinterfragt. Ein weiterer Fokus in diesem Kapitel wird auf die Literatur in den Medien gelegt.

Große Bedeutung haben überdies **Film und Dramatik** im Kapitel **„Literatur, Kunst und Gesellschaft":** der Film als Medium, die Filmanalyse, Genres und Wirkungsmittel des Films sowie das Drama über die Jahrhunderte und das epische Theater Bertolt Brechts. Mittels diverser Arbeitsaufträge wird der Aufbau literarischer Kompetenz gefördert.

Im gesamten Lehrwerk wird ein besonderes Augenmerk auf die Formulierung kompetenzorientierter Aufgabenstellungen mithilfe von **Operatoren** gelegt. Diese werden bei den Schreibaufgaben gekennzeichnet und hervorgehoben (fett markiert), um die Schülerinnen und Schüler für die Operatoren zu sensibilisieren bzw. sie mit diesen vertraut zu machen. Operatoren sind insbesondere für die teilstandardisierte Reife- und Diplomprüfung relevant.

Didaktisches Konzept der Reihe

Die Lerninhalte sind zu Themenschwerpunkten **(Großkapitel)** zusammengefasst. Ein Farbleitsystem erleichtert die Zuordnung der Inhalte zu den Themenbereichen der acht Großkapitel in Band 3. Die einzelnen Unterkapitel sind methodisch klar aufgebaut und strukturiert. Das **Kompetenzfenster** (Ihr persönlicher Lernerfolg) am Ende jedes Kapitels fasst nochmals die Fähigkeiten und Fertigkeiten zusammen, die trainiert wurden.

Das Lehrwerk arbeitet systematisch auf die **Bildungsstandards DEUTSCH für die 13. Schulstufe** hin und weist die Kompetenzbereiche explizit bei allen Aufgabenstellungen durch die **Symbole** „Zuhören", „Sprechen", „Lesen", „Schreiben", „Reflexion" und „Sprachbewusstsein" in den Farben des Kompetenzmodells der Bildungsstandards DEUTSCH für die 13. Schulstufe aus. Dies erleichtert den Schülerinnen und Schülern, aber auch den Lehrerinnen und Lehrern die Zuweisung zu den einzelnen Teilkompetenzen.

Das **Kompetenzmodell** und die **Deskriptoren** der Kompetenzbereiche der Bildungsstandards DEUTSCH für die 13. Schulstufe sind in jedem Band aufgelistet, um den Schülerinnen und Schülern zu ermöglichen, über den eigenen Lernstand zu reflektieren, aber auch, um die Zielvorgabe der Abschlussqualifikation und der teilstandardisierten Reife- und Diplomprüfung nicht aus den Augen zu verlieren.

Die Schülerinnen und Schüler sollen durch den Einsatz dieses Lehrwerks in ihrem eigenständigen und eigenverantwortlichen Tun gestärkt werden, da alle Aufgabenstellungen **konkrete Handlungsanweisungen** enthalten. Weiters wurde versucht, berufsrelevante Situationen im mündlichen und schriftlichen Bereich zu behandeln und durch **relevante Textmuster und Textsorten** den Praxisbezug hinsichtlich eines Studiums und Berufs herzustellen. Die **„maturablen" Textsorten** für die teilstandardisierte Reife- und Diplomprüfung sind ebenfalls durch ein eigenes Icon gekennzeichnet.

Mit einem weiteren Symbol **(Internetverweis)** werden die Schülerinnen und Schüler angeregt, die modernen Kommunikationstechnologien zu nutzen, weitere Icons verweisen auf das Arbeiten in **Einzel-, Partner- und Gruppenarbeit** sowie das **Arbeiten im Klassenverband**.

Das Lehrwerk wird außerdem den neuen Entwicklungen in der Schreib- und Lesedidaktik gerecht und erleichtert prozesshaftes Unterrichten (siehe vor allem die Kapitel **„Lesen"**, **„Schreiben"** und **„Portfolio"**).

Die Autorinnen

1 Check: Wissen und Können

Seite 29, A10 (Lösung):

1 – 4 – 6 – 3 – 2 – 5

Traumjob zu vergeben
Australische Paradiesinsel sucht Ranger

Zwölf Wochenstunden, Logis auf einer Trauminsel, 12.000 Euro im Monat: Die Whitsunday Islands in Australien suchen einen Ranger, der unter solchen Bedingungen bereit ist, viel Zeit mit Schnorcheln, Segeln und in der Sonne Liegen zu verbringen – und damit fleißig für den Tourismus zu werben.

Brisbane – Fiese Glibbertiere, hässliche Spinnen und Überlebenskampf ohne jeglichen Komfort: Wenn täglich Bilder aus dem Dschungelcamp über die Bildschirme von Millionen Bundesbürgern flackern, dürfte das kaum die Art von Werbung sein, die das australische Fremdenverkehrsamt sich wünscht. Dabei hat das Land doch gerade in Regionen, in denen kein Dirk Bach in knallbuntem Ranger-Kostüm über echte oder fiktive Phobien von Giulia Siegel philosophiert, eine Menge an Naturschönheiten zu bieten. Zum Beispiel die Whitsunday Islands vor der Küste des Bundesstaates Queensland. Dort bietet das Tourismusamt nun einen Job an, der fast zu verlockend klingt, um wahr zu sein.

Für ein halbes Jahr wird ein Ranger auf Hamilton Island gesucht, der gerne segelt, schnorchelt und in der Sonne liegt. Als einzige wirkliche Arbeitsleistung werde das Führen eines Internetblogs über die Insel gefordert, teilte am Dienstag die Regierung von Queensland mit. Bewerben könne sich jeder, der Englisch spricht. Der glückliche Gewinner des Auswahlverfahrens bekommt für die sechs Monate umgerechnet knapp 76.000 Euro, der Flug vom Heimatland auf die Hamilton-Insel im Great Barrier Reef wird auch gezahlt.

Auf der Insel wohnt der „Island Caretaker“ dann umsonst in einer Villa an der Küste. Diese hat neben Küche und Bad drei Zimmer zu bieten und einen eigenen Pool, der „vielleicht ab und zu mal gereinigt werden muss“. Ansonsten wird von den Kandidaten erwartet, „durch das Great Barrier Reef zu reisen und jedes mögliche Abenteuer auszuprobieren“.

Darüber solle dann per Internet der ganzen Welt berichtet werden. „Der Gewinner muss das Meer lieben, die Sonne und die Natur“, sagte Anthony Hayes vom Tourismusbüro von Queensland. „Und er muss von Zeit zu Zeit auch mit Journalisten sprechen, deshalb darf er nicht schüchtern sein.“ Klingt nach dem perfekten Job für einen gestressten Fernsehmoderator mit Hang zu sinnentleertem Geplapper und farbenfroher Garderobe – wer allerdings Dirk Bach zuvorkommen will, kann hier einen Blick auf die Bewerbungsvoraussetzungen werfen. Die Seite war am Dienstag nur schwer zu erreichen, weil sich offenbar viele Interessenten über den Job informieren wollten.

Orth, Stefan: Traumjob zu vergeben: Australische Paradiesinsel sucht Ranger. In: Spiegel, 13.01.2009. Online: www.spiegel.de/reise/aktuell/traumjob-zu-vergeben-australische-paradiesinsel-sucht-ranger-a-600989.html (26.04.2014)

2 Kommunikation

Seite 53, A24 (Kopiervorlage):

Beobachtungs-blatt zur Debatte	Argument Pro 1	Argument Kontra 1	Argument Pro 2	Argument Kontra 2	Argument Pro 3	Argument Kontra 3
Name der Rednerin bzw. des Redners						
Verständlichkeit						
freie Rede						
vollständige Sätze						
Sachlichkeit						
Beispiele						
Berücksichtigung der Argumente der Vorrednerin bzw. des Vorredners						
Mimik						
Körpersprache						
Summe der Punkte						

Seite 56, A28 (Kopiervorlage):

Verhalten einer Diskutantin bzw. eines Diskutanten	**Reaktion der Moderatorin bzw. des Moderators**
Eine Diskutantin bzw. ein Diskutant wird beleidigt.	
Eine Diskutantin bzw. ein Diskutant weicht vom Thema ab.	
Eine Vielrednerin bzw. ein Vielredner lässt andere kaum zu Wort kommen.	
Jemand unterbricht andere Diskutantinnen bzw. Diskutanten.	
Es entsteht eine Gesprächspause.	
Das Thema dreht sich im Kreis.	
Zwei Diskutantinnen bzw. Diskutanten sprechen während des Redebeitrags einer Diskussions-teilnehmerin bzw. eines Diskussionsteilnehmers miteinander.	
Eine introvertierte Diskutantin bzw. ein introvertierter Diskutant meldet sich nicht zu Wort.	

Seite 58, A30 (Kopiervorlage):

Beobachtungsbogen: Moderation

Die Moderatorin bzw. der Moderator …	☺	😐	☹
… begrüßt die Anwesenden.			
… erklärt die Tagesordnungspunkte.			
… arbeitet die Tagesordnungspunkte ab.			
… holt die Meinung Einzelner ein.			
… stellt Lösungsalternativen gegenüber.			
… hält Ergebnisse fest.			
… fasst die Resultate am Ende der Diskussion zusammen.			
… dankt den Teilnehmerinnen und Teilnehmern.			

3 Lesen

Seite 87, A33 (Kopiervorlage):

Feedbackbogen zur Bewertung Ihrer Mitschülerin/Ihres Mitschülers

Die Leserin/Der Leser ...	☺	😐	☹
... trägt den Text flüssig, ohne zu stocken, vor.			
... liest auch längere Wörter flüssig.			
... liest nicht zu schnell.			
... liest nicht zu langsam.			
... verschluckt nicht die Endungen.			
... liest den Text gut verständlich.			
... macht keine Fehler.			
... spricht so laut und deutlich, dass man alles versteht.			
... setzt ihre/seine Stimme passend zum Text ein (unterschiedliche Stimmlage).			
... betont angemessen, hebt einzelne Stellen hervor.			
... macht an den passenden Stellen Pausen.			
... beachtet die Satzzeichen.			
... hält regelmäßigen Blickkontakt zu den Zuhörerinnen und Zuhörern.			

Feedbackbogen zur Selbstbewertung

Ich kann ...	☺	😐	☹
... den Text flüssig vortragen.			
... auch längere und schwierige Wörter flüssig vorlesen.			
... so laut und deutlich vortragen, dass man alles versteht.			
... Pausen an den richtigen Stellen setzen.			
... meine Stimme passend zum Text einsetzen (laut oder leise, langsam oder schnell etc.).			
... regelmäßig Blickkontakt zu meinen Zuhörerinnen und Zuhörern aufnehmen.			

4 Sprache

Seite 90, A1a (Lösung):

Groß- und Kleinschreibung

- **Nomen** schreibt man immer groß.

Großgeschrieben wird

- das erste Wort eines **vollständigen** Satzes, in Briefanreden und Grußformeln (wenn ein Rufzeichen folgt),
- das **erste** Wort einer Überschrift, eines Titels oder einer Schlagzeile,
- nach einem Doppelpunkt, wenn ein **vollständiger** Satz folgt,
- das erste Wort der **direkten** Rede,
- die **höfliche** Anrede (z. B. *Sie, Ihnen, Ihr*).

Seite 90, A1b (Lösung):

Der Titel des **Filmes** lautet: **Die** fabelhafte **Welt** der **Amelie**.
Er lernte in der **Unterstufe** die **Ballade „Die Bürgschaft“** auswendig.
Selbstverständlich sollten **Sie** bei der Arbeit beachten: Tragen **Sie** stets die **Schutzmaske**.
Sie wusste eines mit **Sicherheit:** nichts übereilen!
Liebe Frau Huber! **Vielen Dank** für **Ihre Bestellung**. **Wir** liefern **Ihre Waren** ...
Die Gebühren für **SMS** waren aus ihrem **Urlaubsort** besonders teuer.
Heuer pflanzten sie viele seltene **Gemüsesorten** im **Garten:** grüne **Tomaten, Strauchbasilikum** und andere alte **Pflanzen**.
Nach dieser **Reise** wussten sie: **Nirgendwo** war es schöner als zu **Hause**.
Afrika und **Australien** waren **Kontinente**, die die beiden **Freunde** in den nächsten **Jahren** bereisen wollten.
Die Spielgemeinschaft konnte es kaum glauben, eine **Million** im **Lotto** gewonnen zu haben.
Die Erkenntnis aus dem ungeheuren **Erlebnis** lautete: **Eine** gute **Vorbereitung** erspart so manchen **Ärger**.
Lieber Gustav, nochmals **Dank** für deine **Mühe**.
Plötzlich rief sie entsetzt: „**Wir** haben die **Eintrittskarten** vergessen“, und leitete ein gefährliches **Bremsmanöver** ein.
„**Der Fahrer** des **Wagens** mit dem **Kennzeichen** ... möge bitte zur **Kasse** kommen“, ertönte es aus dem **Lautsprecher**, „**Sie** blockieren die **Notausfahrt**“.

Seite 91, A2a (Lösung):

Eigennamen

- werden **groß**geschrieben. Das sind Namen von Personen, Ländern, geografischen und historischen Bezeichnungen, Institutionen und Ereignissen. Ableitungen von geografischen Namen auf -er werden **groß**geschrieben, Ableitungen auf -isch werden **klein**geschrieben.

Seite 91, A2b (Lösung):

der **Z**weite Weltkrieg, der **H**eilige Abend, ein **a**tlantisches Tief, der **A**tlantische Ozean, **S**alzburger Nockerl, **Ö**sterreichische Bundesbahnen, die **n**iederösterreichische Landesausstellung, der **E**rste Mai, die **S**chwarze Mamba, der **E**rste Punische Krieg, der **s**panische König Philipp der Schöne, der **b**laue/**B**laue Brief, die **o**berösterreichischen Spezialitäten, in den **T**iroler Alpen, die **c**hinesischen Waren, die **V**orarlberger Landesregierung, das **ö**sterreichische Schulwesen, die **M**ariahilfer Straße, ein Stück **L**inzer Torte, der **L**ondoner Flughafen, die **K**arnischen Alpen, das **F**leißige Lieschen (Pflanze), der **S**chwarze Freitag, der **K**remser Schmidt (österreichischer Maler), die **S**panische Hofreitschule, die **M**ariazeller Bahn, die **d**änische Butter, Heinrich der

Achte, der **S**chiefe Turm von Pisa, dein **s**chwarzer Humor, das **W**eiße Haus, die **g**oldene Uhr, das **G**oldene Dachl, der **erste** Juli, der **u**ngarische Präsident, die **H**ohen Tauern, das **R**ote Kreuz und der **R**ote Halbmond, der **g**rammatikalische zweite Fall, im **S**tillen Ozean, die **s**tillen Reserven, das **e**wige/**E**wige Licht, die **K**ärntner Seen, das **R**ote/**T**ote Meer, die **A**rabischen Emirate, der **H**eilige Leopold

Seite 91, A3a (Lösungsvorschläge):

Nominalisierungen

Wenn Verben, Partizipien, Adjektive, Artikel, Pronomen, Präpositionen, Adverbien, Numerale, Konjunktionen oder Interjektionen als Nomen gebraucht werden, spricht man von Nominalisierung.

Es gibt folgende Möglichkeiten der Kennzeichnung:

- bestimmter und unbestimmter Artikel: z. B. **der, die, das, ein, eine, einen**
- Pronomen: z. B. **mein, dein, sein, dieses, jenes, manches**
- unbestimmte Numerale: z. B. **wenig, etwas, alles, nichts, viel**
- Adjektivattribute: z. B. **großes, bedeutendes, interessantes**
- Präpositionen: z. B. **durch, von, mit**

Seite 92, A3b (Lösung):

aufs **N**eue überrascht sein, unerwartetes **W**iedersehen, das **A**nstarren als unangenehm empfinden, sämtliches **A**nfeuern nützte nichts, ein **T**oben und **S**chreien vernehmen, das **F**ür und **W**ider abwägen, es auf **E**nglisch sagen, während des **V**ortragens nervös sein, im **H**ier und **J**etzt leben, unerschrockenes **D**urchgreifen konnte **S**chlimmstes verhindern, fröhliches **S**ingen hören, beim **E**islaufen frieren, keinen **W**eiteren finden, sämtliches **U**nbrauchbares wegwerfen, viel **I**nteressantes erfahren, das **N**ützliche vom **U**nnützen trennen, ein **f**röhliches **B**egrüßen, das **ü**berraschende **B**eenden der Karriere, die **s**cheinbar **U**nbesiegbaren, **S**ein oder **N**ichtsein, nichts **T**eures besitzen, das **Ü**berraschende erleben, alles **G**ute und **L**iebe wünschen, am **s**chönsten singen können, am **G**uten zweifeln, sich zum **G**uten wenden, der **F**aule

Seite 92, A4 (Lösung):

Feste Fügungen

- **Klein**geschrieben werden die Wörter Angst, Bange, Bankrott, Feind, Freund, Gram, Klasse, Leid, Pleite, Recht, Schuld, Spitze und Unrecht in Verbindung mit den Verben sein, bleiben und werden, z. B. *pleite sein, schuld sein, schuld bleiben.*
- Es gibt viele weitere Nomen, die als feste Fügungen in Verwendung sind.
  Häufig ist sowohl die **Groß**schreibung als auch die **Klein**schreibung möglich – man nennt dies fakultative Schreibung. Manche dieser Fügungen werden klein- und zusammengeschrieben!
- Tipp:
  Feste Fügung lässt sich mit Wie? erfragen → Kleinschreibung
  Feste Fügung lässt sich mit Was? erfragen → Großschreibung

schuldlos **p**leite sein, in **K**raft treten, in **B**etracht ziehen, **u**nschuldig verurteilt werden, **b**ange sein, zugrunde/zu **G**runde gehen, **i**mstande sein, **z**ustande kommen, mit **H**ilfe von, zu **R**ate ziehen, **a**bhandenkommen, zu **H**anden von, etwas jederzeit in **K**auf nehmen, zu allem im **S**tande sein, **vonseiten**/von **S**eiten der Behörden, etwas **l**eid sein, vor vielem **A**ngst haben, daran nicht **s**chuld sein, damit **r**echt/**R**echt haben, **vonnöten** sein, auf **aufseiten**/**S**eiten des Gegners, **zugunsten**/zu **G**unsten der Familie, für immer daran **s**chuld bleiben, bestimmt **p**leite gehen, jemandes **F**eind sein, es allen **E**rnstes meinen, ganz sicher **r**echt/**R**echt haben, vor **G**ram und **L**eid beinahe vergehen, es **w**ert sein, ihm deshalb **f**eind sein, damit im **U**nrecht bleiben, wohl **zumute**/zu **M**ute sein

Seite 93, A5a (Lösung):

Hans Lebert – **Die Wolfshaut**

Die rätselhaften Ereignisse, die uns vergangenen Winter beunruhigt haben, begannen, wenn wir es näher betrachten, nicht, wie man allgemein annimmt, am neunten, sondern aller Wahrscheinlichkeit nach schon am achten November, und zwar mit jenem sonderbaren Geräusch, das der Matrose gehört zu haben behauptet. Ja. Aber werfen wir erst einen Blick auf die Karte. Das hier ist Schweigen; hier, südlich davon, liegt Kahldorf. Das ist die Bahnstation „Kahldorf-Schweigen" und die eingeleisige Nebenstrecke, die drei Stationen weiter aufhört. Von Westen her schiebt sich ein Hügelrücken, das Ebergebirge, an Schweigen heran; die Straße von Kahldorf nach Schweigen führt um den Berg herum. Hier, bei dieser Kurve südlich von Schweigen, befindet sich der verdächtige Ziegelofen. Und sonst ...? Das hier sind Äcker, das hier ist Wald; die Punkte da bezeichnen einsame Höfe, und die Striche: Wege, die sich im Walde verlaufen. Es ist eine gottverlassene Gegend, eine Gegend, die nichts zu bieten hat und deshalb auch kaum bekannt ist. Abseits der großen Verkehrsadern lebt sie ihr undurchsichtiges Leben, und wer sie zu kennen glaubt, so wie ich zum Beispiel, weiß letzten Endes auch nur, dass sie da ist und dass sich dort die Füchse in einer uns schwerverständlichen Sprache (klingt wie in den Bart gemurmelt) gute Nacht sagen. Am Morgen schleichen sie wieder durchs Dickicht, schnuppern nach den Gehöften hinüber, wo Rauch aus den Kaminen aufsteigt und nach verbrannten Federn riecht. Dann spitzen sie die Ohren, und der Blick ihrer Lichter schweift in die Runde: Ödnis. Die Wipfel in Wolken verfangen; leise trommelt ein Regenschauer auf abgeerntete Felder.

Und nun zurück zur Sache! Am achten November, etwa um drei Uhr morgens, weckte den Matrosen ein Unbehagen, ein ekelhaftes, frostiges Gefühl, „so, als ob die Haustür offen sei". Er stand also auf und überzeugte sich, dass sie versperrt war. Dann legte er sich wieder hin, vermochte aber nicht mehr einzuschlafen. Ärgerlich darüber, stand er nach einer Weile abermals auf, rauchte sich eine Pfeife an und schaute aus dem Fenster. Draußen herrschte ein milchiges Zwielicht. Der Mond, im Osten hinter den Wolken versteckt, malte einen zerrinnenden Fleck auf den Nebel, einen Tümpel aus schwindsüchtig bleicher Helle, von dem sich das kahle Geäst der Obstbäume schattenhaft abhob. Das war nicht viel anders als sonst und hatte alles seine Richtigkeit. Dennoch war dem Matrosen auf einmal zumute, als warte er auf irgendein Erlebnis; und während er noch dastand und überlegte, was für ein Erlebnis das sein könnte, vernahm er plötzlich jenes sonderbare Geräusch, das man bis heute nicht zu erklären vermocht hat. Es kam, wie er sagt, aus der Richtung des Ziegelofens und erfüllte allmählich das ganze Gewölbe des Himmels. Es klang wie „Ohrenklingen" oder wie eine Äolsharfe, etwa so, als bebte die Luft dort drüben wie eine straffgespannte Saite.

Lebert, Hans: Die Wolfshaut. Hamburg, Wien, Europa Verlag, 2001, S. 7 f.

Seite 94, A6 (Lösung):

Verbindungen mit Verben

Verbindungen mit einem Verb als zweitem Bestandteil werden grundsätzlich **getrennt** geschrieben.

- Nomen und Verb: z. B. *Auto fahren, Walzer tanzen, Radio hören*
  Ausnahme: Zusammenschreibung, wenn die ersten Teile in der Zusammensetzung ihre Eigenschaft als **eigenständiges** Nomen weitgehend verloren haben, z. B. *eislaufen, kopfstehen, leidtun*
  Zusammenschreibung ist in folgenden vier Fällen möglich: *Acht geben/achtgeben, Acht haben/achthaben, Halt machen/haltmachen, Maß halten/maßhalten*
- Verb und Verb: z. B. *schwimmen gehen, liegen bleiben, lesen üben*
- Adjektiv und Verb: Zusammenschreibung, wenn Adjektiv und Verb eine neue Gesamtbedeutung bilden, z. B. *jemanden fertigmachen, etwas feststellen, schwerfallen (Mühe verursachen), jemanden krankschreiben*
- Partizip und Verb: z. B. *geschenkt bekommen, verloren gehen*
- Verbindungen mit sein: z. B. *schuld sein, fertig sein, vorhanden sein*
- Achtung: Partikeln werden mit dem Verb ausnahmslos **zusammen**geschrieben, z. B. *abändern, abhandenkommen, überhandnehmen, aufeinanderstapeln*
  Der Verstoß gegen diese Regel ist einer der häufigsten Fehler bei der Getrennt- und Zusammenschreibung.
- Bei der Nominalisierung werden beide Wörter zusammen- und **groß**geschrieben, z. B. *das Schifahren, das Überhandnehmen, das Lesenüben*

Seite 94, A7 (Lösung):

Nach seinem Unfall kann er leider sehr **schlecht gehen**.
Sie ließen es sich im Urlaub nicht **schlechtgehen**.
Die Geschworenen werden den Verdächtigen vermutlich **freisprechen**.
Es war sehr peinlich, dass er seine Rede nicht **frei sprechen** konnte.
Wohin soll ich die Skulptur in meiner kleinen Wohnung **bloß stellen**?
Ich kann ihn doch nicht wegen dieses dummen Missverständnisses **bloßstellen**.
Wir müssen beim Protokollieren die wichtigsten Punkte **festhalten**.
Du musst deine kleine Schwester beim Stufensteigen noch **fest halten**.
Trotz aller Beteuerungen konnte sie sich von dem Vorwurf nicht **reinwaschen**.
Die Waschmittelwerbung versprach, mit dem neuen Produkt könne man die Wäsche besonders **rein waschen**.
Der Erstklässler kann bereits sehr **gut schreiben**.
Der Lieferant wird dem Kunden dann den Rabatt **gutschreiben**.

Seite 95, A8 (Lösung):

Infinitiv	**Partizip I**	**Partizip II**
kopfrechnen	kopfrechnend	kopfgerechnet
sonnenbaden	sonnenbadend	sonnengebadet
brustschwimmen	brustschwimmend	brustgeschwommen
eislaufen	eislaufend	eisgelaufen
wettlaufen	wettlaufend	wettgelaufen
segelfliegen	segelfliegend	(nicht gebräuchlich)
schutzimpfen	(schutzimpfend)	schutzgeimpft
Fußball spielen	Fußball spielend	Fußball gespielt
Schi laufen	Schi laufend	Schi gelaufen
Tennis spielen	Tennis spielend	Tennis gespielt
Auto fahren	Auto fahrend	Auto gefahren
seilspringen	seilspringend	seilgesprungen
Walzer tanzen	Walzer tanzend	Walzer getanzt
Theater spielen	Theater spielend	Theater gespielt
Kunstturnen*	–	–
stabhochspringen	(stabhochspringend)	stabhochgesprungen

**Kunstturnen = Nomen; Bildung von Partizip I und Partizip II nicht gebräuchlich*

Seite 95, A9 (Lösung):

Infinitiv + „zu“

- Der Infinitiv („zu“ + Verb) ist **getrennt** zu schreiben.
  Beispiel: *Es ist die Frage zu stellen, ob richtig gehandelt worden ist.*
- Entsteht eine neue (übertragene) Bedeutung, so wird „zu“ vor dem Verb betont und **zusammen**geschrieben. Beispiel: *das Paket zustellen*

das Paket **zustellen**, schwer **zu tragen** haben, an Gewicht **zunehmen**, ihm das Recht **zusprechen**, das Gerücht **zutragen**, etwas **zu sehen** bekommen, bei der Station **zusteigen** müssen, nichts **zu sagen** haben, ihr auch das **zutrauen**, euch in der Angelegenheit **zuraten**, wir haben nichts **zu gestehen**, es ihm **zukommen** lassen, nichts **zu kaufen** haben, bei der Arbeit tüchtig **zupacken**, nichts **zuordnen** können, noch die Arbeit **zu schreiben** haben, langsam **zu laufen** beginnen, dabei **zusehen**, fremde Lebensmittel **zukaufen**, morgen **zu kommen** versprechen, sein Einverständnis **zusagen**, darüber ist noch **zu sprechen**, die Dokumente sind **zu ordnen**, dem fremden Mann **zulaufen**, das Delikt **zugeben**, es nicht **zu fassen** bekommen, die Tür **zufallen** lassen, bis zum Eingang **zufahren**, beim Essen ordentlich **zulangen**, ihr die Anerkennung **zugestehen**, die Schnürsenkel **zubinden**, beim günstigen Angebot **zugreifen**, das junge Pferd **zureiten**, nichts **zu geben** haben, ihr etwas **zu raten** aufgeben, es den Freunden **zusichern**, ihnen die Schuld **zuschreiben**

Seite 96, A10a (Lösung):

das – dass

- „das“ kann drei Funktionen erfüllen:
  - **bestimmter** Artikel (Ersatzwort: *ein*)
    Beispiel: *das Haus, das Tier*
  - **Demonstrativpronomen** (Ersatzwort: *dies/dieses*)
    Beispiel: *Das (dieses) sind die Schuhe, die mir am besten gefallen.*
  - **Relativpronomen** (Ersatzwort: *welches*)
    Beispiel: *Das Gewitter, das (welches) gestern wütete, richtete großen Schaden an.*
- „dass“ ist eine **Konjunktion**, die einen Nebensatz einleitet (es gibt **kein** Ersatzwort!).
  Beispiel: *Ich freue mich, dass es dir gut geht.*

Seite 96, A10b (Lösung):

1. Wir dachten nicht daran, **dass (K) das (DP)** ein wirkliches Problem sein könnte.
2. **Das (DP)** ist **das (A)** Ergebnis einer langen und intensiven Internetrecherche.
3. **Dass (K)** du gar nicht daran gedacht hast, **das (DP)** wäre mir nie in den Sinn gekommen.
4. Sie dachte, **dass (K)** es nicht wieder so enden dürfte.
5. Wir sahen **das (DP)** ein, **das (DP)** war auch nicht allzu schwer zu verstehen.
6. **Dass (K)** es den Verlauf der Verhandlungen beeinflussen könnte, **das (DP)** war allen klar.
7. Nichts ist schwieriger, als **dass (K)** du **das (DP)** allen verständlich machst, **das (DP)** glaube mir.
8. Denkst du, **dass (K)** du **das (DP)** auch allein schaffen kannst?
9. Ihr lernt dabei **das (A)** Sprechen der Fremdsprache, ohne **dass (K)** es euch bewusst wird.
10. Sucht euch nur **das (DP)** aus, was euch am besten gefällt.
11. **Dass (K)** er sie stundenlang dabei beobachtet hat, **das (DP)** ist der wirkliche Skandal.
12. Wir meinen, **dass (K) das (A)** Ergebnis der Wahl schon vorhersehbar ist.
13. Nichts ist störender, als **das (A)** laute Telefonieren der Menschen im öffentlichen Raum.
14. Kennst du **das (A)** Gesetz, **das (RP)** letzte Woche beschlossen worden ist?
15. Freust du dich, **dass (K)** du **das (A)** heurige Schuljahr ausgezeichnet abgeschlossen hast?

Seite 97, A11 (Lösung):

1. **Seit** zwei Wochen **seid** ihr nun schon in Urlaub auf Mallorca.
2. Weil es **seit** einer Woche regnet, **seid** ihr nur noch niedergeschlagen.
3. Sie dachte sich, **seit** es das neue Straßencafé gibt, **seid** ihr häufiger in der Stadt.
4. Ich will dich **seit**her nicht mehr sehen.
5. **Seid** ihr euch sicher, dass es **seit** diesem Ereignis bergauf geht?
6. **Seit**dem er gesund ist, **seid** ihr auch wieder fröhlich.

Seite 97, A12 (Lösung):

1. **Wider** jede Vernunft kletterte er den Abhang hinab, um **wieder** einmal seine Sportlichkeit zu beweisen.
2. Es ist **wider**sinnig, immer **wieder** denselben Fehler zu machen.
3. Wir mussten uns **wieder** eingestehen, dass aller **Wider**stand leider zwecklos ist.
4. Es war ein so **wider**wärtiger Anblick, dass mir beim Erinnern **wieder** die Gänsehaut über den Rücken läuft.
5. Die **Wieder**holung der Übung wird für viele ein **Wieder**erinnern bedeuten.
6. Es **wider**strebte ihr, sich **wieder** einmal ohne Erfolg dafür einzusetzen.

Seite 97, A13 (Lösung):

den En**d**spurt beobachten, sich versehen**t**lich verraten, einen En**t**wurf zeichnen, en**d**lich zu Hause ankommen, es wissen**t**lich beeinflussen, das En**t**gelt berechnen, einen bedeuten**d**en En**t**schluss fassen, sich für die En**d**runde qualifizieren, sich vollkommen en**t**spannen, sehr orden**t**lich zusammenkehren, die passen**d**en Schuhe suchen, die En**t**sorgung des Mülls übernehmen, bis zur En**d**station reisen, sich zugleich lachen**d** und weinen**d** begrüßen, die Angelegenheit en**d**lich been**d**en, dem En**t**führer Lösegeld anbieten, gelegen**t**lich über die Stränge schlagen, scheinbar unen**d**lich lange warten, die En**d**en**t**scheidung abwarten, die to**b**enden Kinder en**t**schuldigen, es nicht en**t**ziffern können, im En**d**effekt Recht behalten, die neue En**t**deckung bekanntgeben, den heiligen Ort en**t**weihen, das Thema en**t**tabuisieren, der unerwartete En**d**erfolg, das Geheimnis en**t**ziffern, vollkommen en**t**nervt sein, die En**d**verbraucher en**t**schädigen, das Obst en**t**saften, sich nicht en**t**mutigen lassen, die En**d**silbe betonen, sich nicht en**t**sinnen können

Seite 98, A14 (Lösung):

Kasus	maskulin Singular	feminin Singular	neutrum Singular	Plural
Nominativ 1. Fall	der schöne Tag/ ein schöner Tag	die neue Uhr/ eine neue Uhr	das nette Wort/ ein nettes Wort	die lustigen Bücher/ lustige Bücher
Genitiv 2. Fall	des schönen Tages/ eines schönen Tages	der neuen Uhr/ einer neuen Uhr	des netten Wortes/ eines netten Wortes	der lustigen Bücher/ lustiger Bücher
Dativ 3. Fall	dem schönen Tag/ einem schönen Tag	der neuen Uhr/ einer neuen Uhr	dem netten Wort/ einem netten Wort	den lustigen Büchern/ lustigen Büchern
Akkusativ 4. Fall	den schönen Tag/ einen schönen Tag	die neue Uhr/ eine neue Uhr	das nette Wort/ ein nettes Wort	die lustigen Bücher/ lustige Bücher

Seite 98, A15 (Lösung):

ein interessant**es** Phänomen (**1.** Fall), mit groß**en** Sorgen (**3.** Fall), statt ein**es** Zugeständniss**es** (**2.** Fall), auf feinkörnig**em** weiß**em** Strand (**3.** Fall), wegen unnütz**er** Zeitverzögerung (**2.** Fall), aufgrund unterschiedlich**er** Interess**en** (**2.** Fall), dank sein**er** wertvoll**en** Unterstützung (**2.** Fall), ohne dies**e** belehrend**e** Erfahrung (**4.** Fall), trotz ein**es** stark**en** Gewitter**s** (**2.** Fall), frisch**en** grün**en** Salat kaufen (**4.** Fall), ein wunderschön**es** Konzert darbieten (**4.** Fall), neben rücksichtslos**en** Nachbarn wohnen (**3.** Fall), aus unergründlich**en** Quellen schöpfen (**3.** Fall), den unerwartet**en** Sieg erringen (**4.** Fall), aus unerklärlich**em** Trotz handeln (**3.** Fall), an dies**en** genial**en** Mensch**en** glauben (**4.** Fall), auf schön**e** Zeremonien Wert legen (**4.** Fall), wegen schlecht**er** Wetterverhältniss**e** (**2.** Fall), mangels glaubwürdiger Beweis**e** (**2.** Fall), durch unser Fehlverhalten (**4.** Fall), wohlschmeckend**es** fruchtig**es** Eis anbieten (**4.** Fall), mit sommerlich leicht**em** Kleid erscheinen (**3.** Fall), diese besonder**e** Stimmung genießen (**4.** Fall), ohne glänzend**e** Leistung**en** zurückkehren (**4.** Fall), unter dauernd**en** Kopfschmerzen leiden (**3.** Fall), wegen tropisch**er** Temperaturen absagen (**2.** Fall), gegen widerlich**es** Verhalten protestieren (**4.** Fall), eine matschig**e** Wiese durchwandern (**4.** Fall), vor dies**em** groß**en** Hund Angst haben (**3.** Fall)

Seite 99, A16 (Lösung):

Hans Lebert – **Die Wolfshaut** (Fortsetzung)

Dieses Geräusch (1. Fall) verlor sich wieder, versickerte ungewiss in der Weite der Nacht (2. Fall), verirrte sich in den Wäldern, versank in den sumpfigen Niederungen (3. Fall), wo der Nebel dem Morgen (3. Fall) zu dichter wurde und Raureif an den Gräsern (3. Fall) glänzte. Es wurde schließlich einbezogen in das leise Klingen (4. Fall) der Telefonleitungsdrähte (2. Fall) (mit dem es eine gewisse Ähnlichkeit hatte) und war von diesem nicht länger zu unterscheiden.

Wir anderen schliefen damals schon wieder recht gut. Wir hatten allerdings auch keine Ursache (4. Fall), ungut zu schlafen. Den Krieg (4. Fall) und seine verschiedenen Folgen (4. Fall) glaubten wir überstanden zu haben; im ganzen Lande (3. Fall) ging es wieder aufwärts, sogar eine Konjunktur (1. Fall) bahnte sich an; und wenn uns etwas quälte, so war es höchstens schon wieder die Langeweile (1. Fall), welche in Friedenszeiten (4. Fall) hierorts daheim ist und wie ein graues, unfassbares Gespenst (1. Fall) zwischen den Häusern und zwischen den Stacheldrahtzäunen (3. Fall) umgeht.

Mit ihr (der Langeweile) begann auch der Tag wie jeder andere in diesem Monat (3. Fall). Er sandte eine verweinte Röte (4. Fall) voraus (Röte entzündet die Bindehaut [4. Fall], die aber schon nach Minuten [3. Fall] verblasste) und kroch dann grau und widerwillig den Hügeln (3. Fall) über die Rücken (4. Fall). Obwohl es ein Samstag (1. Fall) war und in der „Traube“ sogar eine Tanzunterhaltung (1. Fall) stattfinden sollte, gab es doch keinen Grund (4. Fall), von ihm zu erwarten, dass er den lähmenden Ring (4. Fall) der Eintönigkeit (2. Fall), den Ring aus Ackerbau (3. Fall) und Viehzucht, kahlen Wäldern und braunen Erdwellen (3. Fall), der sich, wenn es dem Ende (3. Fall) des Jahres (2. Fall) zugeht, besonders eng um unsere Ortschaft legt, mit etwas Ungewöhnlichem (3. Fall) durchbrechen werde.

Alles war wie immer. Lastkraftwagen und Motorräder begannen zu brummen. Die Dampfmaschine des Sägewerks (2. Fall) hob wie ein Fieberkranker (1. Fall) zu keuchen an, und ringsum in den Forsten (3. Fall), die schon der Schlägerung (3. Fall) verfallen waren, erwachten die Holzhauerhacken (1. Fall) mit ihrem Gebell (3. Fall). Wie jeden Morgen wurden in Schweigen (3. Fall) die Läden geöffnet, der Bäckerladen, der Krämerladen, der Fleischhauerladen (der zur „Traube“ gehört); und wie jeden Morgen (4. Fall) rannten die Kinder zur Schule (4. Fall), Wolken von silbernem Atemhauch (3. Fall) vor den Gesichtern.

Und dennoch! Irgendetwas war anders (muss bereits anders gewesen sein) an diesem schläferigen Samstag (3. Fall), der uns erst Wochen (4. Fall) später verdächtig vorkam. Aber das spürte seltsamerweise nur der Matrose (1. Fall), und auch er nur ganz undeutlich, höchstens wie eine Spannung, die an den feinsten Nervenfasern (3. Fall) riss, und er hätte beim besten Willen (3. Fall) nicht sagen können, was und ob es überhaupt etwas war.

Lebert, Hans: Die Wolfshaut. Hamburg, Wien, Europa Verlag, 2001, S. 8 f.

Seite 100, A17 (Lösung):

Konjunktiv

- Den **Konjunktiv I** verwendet man vor allem bei der Wiedergabe der direkten Rede als **indirekte Rede**. Damit wird deutlich gemacht, dass die Aussagen **nicht** von einem selbst stammen.
- Die direkte Rede folgt häufig auf Verben wie **denken, sagen, erzählen, antworten, behaupten, melden, mitteilen, berichten, meinen, glauben, vermuten** etc.

Indikativ		Konjunktiv I		Konjunktiv II	
ich gehe	ich komme	ich gehe	ich komme	ich ginge	ich käme
du gehst	du kommst	du gehest	du kommest	du gingest	du kämest
er geht	er kommt	er gehe	er komme	er ginge	er käme
wir gehen	wir kommen	wir gehen	wir kommen	wir gingen	wir kämen
ihr geht	ihr kommt	ihr gehet	ihr kommet	ihr ginget	ihr kämet
sie gehen	sie kommen	sie gehen	sie kommen	sie gingen	sie kämen

- Eine Besonderheit ergibt sich, wenn sich die konjugierten Formen nicht vom Indikativ Präsens unterscheiden – diese sind grün gekennzeichnet. Hier weicht man auf den **Konjunktiv II** aus!
- Der **Konjunktiv II** drückt Vorstellungen, Bedingungen oder Wünsche aus, die unwahrscheinlich oder unmöglich sind. Außerdem wird der Konjunktiv II verwendet, um Zweifel an bestimmten Sachverhalten zum Ausdruck zu bringen.

Seite 101, A19 (Lösung):

1. Sie fragte mich, warum ich diesen ungewöhnlichen Auftrag nicht angenommen habe.
2. Wir sagten zu ihr, diese Reise werde sie sicher mit großer Freude antreten.
3. Er sah mich an und beteuerte, er wisse nicht, wie das habe geschehen können, er habe dafür keine Erklärung parat.
4. Ich fragte, worum es in dieser Angelegenheit gehe. Ob ich das endlich auch erfahren dürfe.
5. Meine Großmutter meinte, sie bitte mich doch nur um etwas Zeit, das sei alles, was sie von mir verlange.
6. Die Referenten beteuerten, sie hätten sich sehr intensiv mit diesem Thema auseinandergesetzt. Trotzdem seien ihnen mehrere Fehler unterlaufen.
7. Sie fragten uns, wie wir uns das eigentlich vorstellten. Ob wir uns der möglichen Konsequenzen bewusst seien.
8. Er meinte selbstbewusst, selbstverständlich schaffe er die Prüfung mit links.
9. Wir überlegten, ob wir uns auf dieses Abenteuer einlassen könnten oder ob es zu gefährlich sei.
10. Sie betonte, sie diskutiere sehr gerne noch ein anderes Mal über dieses Problem. Aber für heute ließen sie es gut sein.

Seite 102, A20a (Lösung):

Hans Lebert – **Die Wolfshaut** (Fortsetzung)

Er trat vor sein Haus (die „Töpferhütte", die einschichtig über der Ortschaft am Waldrand kauert), blickte zu den Wolken auf und verzog das Gesicht zu einer Grimasse. Die Luft war es nicht. Das Licht war es auch nicht. Was war es also –? Nichts. – Er strengte seine Ohren an, doch hörte er nur die Gräser rascheln, im Wald das dürre Reisig knistern und aus dem Tale jenseits das Sägewerk schnaufen. Am Brunnen füllte er seinen Krug mit Wasser, dann ging er ins Haus zurück, um Kaffee zu kochen.

Graben wir einen Toten aus! Nicht einen von jenen Namenlosen, die der Matrose auszugraben versucht hat, sondern einen, der uns allen gut bekannt war (und der sich damals noch schönmachen ließ für den Sonntag, den er gar nicht mehr erleben sollte), nämlich Hans Höller, den Sohn des Großbauern Höller (jenes Gemeindegewaltigen, dem der Lindenhof an der Straße nach Kahldorf gehört).

Gegen zehn kam er mit seinem Motorrad in die Ortschaft, betrat den Frisiersalon des Ferdinand Zitter und warf sich dort breitschenkelig in einen der Stühle. Er war ein hübscher, kräftiger Bursche von Kopf bis Fuß in glänzendes Leder gekleidet und passte ausgezeichnet zu seiner Maschine. Auch er sah wie frisch lackiert aus, auch an ihm schien alles fabrikneu zu blitzen und als er sich voller Behagen hinlümmelte und die in Kanadierstiefeln steckenden Beine streckte (ich meine, wenn man ihn so sah), ahnte man auch in ihm einen starken Motor, das heißt, man war überzeugt, sein Herz sei gesund.

„Rasieren!", schnauzte er. Ferdinand Zitter (ein altes zerbrechliches Männchen mit weißen Locken und einer Hornbrille, die ihm so tief auf der Nase sitzt, dass sie ständig herunterzufallen droht) machte eine Verneigung und rieb sich die Hände. „Sofort", sagte er, „die Irma kommt gleich. Wollen Sie sich einstweilen die Zeitung ansehen?" „Eine von heute?" – „Nein, von gestern.",„Habe ich schon gelesen", knurrte der Bursch. Er betrachtete sich im Spiegel und pfiff dabei einen Schlager. Ferdinand Zitter erzählte uns später, als das Unglück bereits geschehen war:

„Die Irma ließ sich wie immer bitten. Wahrscheinlich aß sie gerade ihr Gabelfrühstück und hatte die Finger voller Käse oder voller Marmelade. Also entschloss ich mich, Herrn Höller inzwischen wenigstens einzuseifen, obwohl ich wusste, dass ihm das wenig Spaß machen würde, weil er ja eigentlich wegen der Irma da war. Ich holte also ein frisches Handtuch und steckte es ihm in den Kragen. Dabei strich ich ihm über die Wange, um die Härte des Bartes zu prüfen. Und da erschrak ich. Ja. Ich bin direkt erschrocken. Sein Gesicht war wie abgestorben, fühlte sich kalt und teigig an – wie das Gesicht einer Leiche. Die Irma ist dann erschienen und hat mir die Arbeit abgenommen. Gott sei Dank! Mir zitterten nämlich die Hände und überhaupt: Ich hatte keine Lust mehr."

Lebert, Hans: Die Wolfshaut. Hamburg, Wien, Europa Verlag, 2001, S. 9 ff.

Seite 104, A21 (Lösung):

1. Dass er mit seinem Fahrrad auf den Großglockner fahren wollte, war eine Herausforderung. (Konjunktion „dass“, GS, HS)
2. Obwohl es gilt, sich auf diese Anstrengung besonders vorzubereiten, zeigte er keinerlei Nervosität, Aufregung oder Anspannung davor. (GS, erweiterter Infinitiv, HS mit Aufzählung)
3. Sein wochenlanges hartes Training war von Kraft-, aber auch von Ausdauersport geprägt. (Konjunktion „aber“)
4. Doch auch auf die Ernährung, eine besonders abgestimmte Kost, hatte er schon Monate davor zu achten. (Apposition)
5. Denn bei so einem intensiven Training ist die Versorgung mit den wichtigsten Vitaminen, Mineralstoffen und Spurenelementen genauso wichtig wie eine ausreichende Aufnahme von Eiweiß und Kohlenhydraten. (Aufzählung)
6. Bei so einem Vorhaben ist allerdings eine mentale Vorbereitung, das war ihm selbstverständlich bewusst, ebenso entscheidend. (HS1, HS2, HS1)
7. Durch ein speziell abgestimmtes Mentalprogramm, autogenes Training, versuchte er auch seine mentale Stärke zu trainieren, um letztendlich einen Erfolg vorweisen zu können. (Apposition, Infinitivgruppe mit „um ... zu“)
8. Glücklicherweise fand er kurz vor dem geplanten sportlichen Ereignis einen Coach, der sich bereiterklärte, mit seinem Auto als Begleitfahrzeug zur Verfügung zu stehen. (HS, GS [Relativsatz], HS)
9. Dies stellte eine zusätzliche Erleichterung dar, weil es nun nicht mehr vonnöten war, sämtliche Getränke, die unbedingt mitgenommen werden mussten, selbst zu transportieren, sondern diese einfach im Begleitfahrzeug mitzunehmen. (HS, GS1, Konjunktion „weil“, Infinitivgruppe, GS2 [Relativsatz], Konjunktion „sondern“)
10. Letztendlich konnte dank der guten, wohl überlegten Vorbereitungen und des guten Wetters, das an diesem Tag vorherrschte, die geplante Radtour erfolgreich ins Ziel führen. (HS mit Aufzählung, GS [Relativsatz], HS)

Seite 105, A22 (Lösung):

1. Kannst du es dir vorstellen, dass du einen Fallschirmsprung wagst? Kannst du es dir vorstellen, einen Fallschirmsprung zu wagen?
2. Ich kann dir kaum beschreiben, wie unendlich das Gefühl der Schwerelosigkeit ist. Das unendliche Gefühl der Schwerelosigkeit ist kaum zu beschreiben.
3. Es besteht die Gefahr, dass man nach solchen Momenten beinahe süchtig werden kann. Es besteht die Gefahr, nach solchen Momenten süchtig zu werden.
4. Vor meinem ersten Tandemsprung erwartete ich mir, dass dieser Nervenkitzel kaum erträglich sei. Vor meinem ersten Tandemsprung erwartete ich mir, diesen Nervenkitzel kaum zu ertragen.
5. Doch das Schweben in der Luft war so, dass man sich frei wie ein Vogel fühlte. Doch das Schweben in der Luft war so, sich frei wie ein Vogel zu fühlen.

Seite 105, A23 (Lösung):

1. Wenn man es von einer anderen Seite betrachtet, gibt es kaum noch Argumente für das Projekt. Von einer anderen Seite **betrachtet***, gibt es kaum noch Argumente für das Projekt.
2. Während der Vortragende seine Standpunkte ausgezeichnet darlegte, machte er sich gleichzeitig Notizen. Seine Standpunkte ausgezeichnet **darlegend**, machte sich der Vortragende gleichzeitig Notizen.
3. Sie legen die Arbeit einhellig nieder, womit sie den angekündigten Streik wahr machen. Die Arbeit einhellig **niederlegend**, machen sie den angekündigten Streik wahr.
4. Der Verhandlungsspielraum bleibt relativ eingeschränkt, selbst wenn man das Problem positiv bewertet. Das Problem positiv **bewertend**, bleibt der Verhandlungsspielraum relativ eingeschränkt.
5. Wenn man dies auf die Arbeit überträgt, sind diese Einsatzfreudigkeit und der Mut positive Werte. Dies auf die Arbeit **übertragen***, sind diese Einsatzfreudigkeit und der Mut positive Werte.

** Bildung der Mittelwortgruppe nicht gebräuchlich*

Seite 105, A24 (Lösungsvorschläge):

1. Er wollte sich dieses Mal keine Blöße geben, **deshalb*** verbrachte er Stunden mit der Durchführung des Auftrags.
2. Wir dachten gar nicht an die Möglichkeit eines Sieges, **darum*** gingen wir ganz locker an den Wettkampf heran.
3. Sie war sich ihres durchschlagenden Erfolgs sicher, **doch*** es kam alles anders.
4. Die Jugendlichen werden die Ferien in einem Sprachcamp verbringen **und** (sie) freuen sich besonders auf drei gemeinsame Wochen.
5. Im internationalen Durchschnitt ist das Land wirtschaftlich stabil, **deswegen*** gibt es keine Veranlassung zur Sorge.
6. Die denkwürdige Festrede wurde in allen wichtigen Tageszeitungen abgedruckt **und** der bislang unbekannte Künstler wurde plötzlich zum Gesprächsthema des Tages. / , **sodass** der bislang unbekannte Künstler plötzlich zum Gesprächsthema des Tages wurde.

* *Konjunktionaladverb*

Seite 106, A25 (Lösung):

Präsens	**Präteritum**	**Perfekt**	**Plusquamperfekt**	**Futur I**	**Futur II**
ich bearbeite	ich bearbeitete	ich habe bearbeitet	ich hatte bearbeitet	ich werde bearbeiten	ich werde bearbeitet haben
du trittst ein	du tratst ein	du bist eingetreten	du warst eingetreten	du wirst eintreten	du wirst eingetreten sein
er verschwindet	er verschwand	er ist verschwunden	er war verschwunden	er wird verschwinden	er wird verschwunden sein
sie bereut	sie bereute	sie hat bereut	sie hatte bereut	sie wird bereuen	sie wird bereut haben
es wird gut	es wurde gut	es ist gut geworden	es war gut geworden	es wird gut werden	es wird gut geworden sein
wir erledigen	wir erledigten	wir haben erledigt	wir hatten erledigt	wir werden erledigen	wir werden erledigt haben
ihr empfehlt	ihr empfahlt	ihr habt empfohlen	ihr hattet empfohlen	ihr werdet empfehlen	ihr werdet empfohlen haben
sie vermissen	sie vermissten	sie haben vermisst	sie hatten vermisst	sie werden vermissen	sie werden vermisst haben
Sie stören	Sie störten	Sie haben gestört	Sie hatten gestört	Sie werden stören	Sie werden gestört haben

Seite 106, A26 (Lösungsvorschläge):

1. Ihr **lest** (lesen) das Buch des unbekannten Autors. 2. Du **kauftest** (kaufen) gestern eine Eintrittskarte für das Rockkonzert. 3. Wir **empfahlen** (empfehlen) letzte Woche immer wieder, das Auto stehen zu lassen. 4. Ihr **gingt** (gehen) vor ein paar Tagen durch den Stadtpark. 6. Du **schlägst vor** (vorschlagen), heuer nach Ko Samui zu reisen. 7. Ihr **trankt** (trinken) gestern zu viel Alkohol, das **müsst** (müssen) ihr heute leider büßen. 8. Die Hälfte der Ladung **muss** (müssen) entsorgt werden. 9. Die Belegschaft der Firma **nimmt** (teilnehmen) an dem Ausflug **teil**. 10. Zwei Tonnen Weizen **sind** (sein) bei dem Unfall auf der Straße gelandet. 11. Er oder sein Freund **muss** (müssen) zum Vorfall aussagen. 12. Ein Achtel Butter **wird** (werden) für das Rezept benötigt.

Seite 107, A27a (Lösung):

Zeitenfolge (im Temporalsatz)

Die Abfolge in den **Zeitstufen** kann **differenziert ausgedrückt** werden, indem Zeiten (in schriftlichen Texten) miteinander „kombiniert“ werden. So kann **Vorzeitigkeit** ausgedrückt werden.

- **Perfekt** – Präsens
  Beispiel: *Nachdem er im Hotel angekommen ist, packt er seinen Koffer aus.*
- **Plusquamperfekt** – Präteritum
  Beispiel: *Nachdem er im Hotel angekommen war, packte er seinen Koffer aus.*

Seite 107, A27b (Lösung):

1. Nachdem sie einen Blick auf den Wecker **geworfen hatte**, bemerkte sie, dass sie **verschlafen hatte**.
2. Wenn du sicher ans Ziel kommen möchtest, **gehe** besser keinen Umweg.
3. In der Stadt sah es aus, als ob ein heftiges Gewitter **niedergegangen wäre**.
4. Im Kühlschrank war nichts mehr zu finden, nachdem meine Mitbewohnerinnen alles **aufgegessen hatten**.
5. Sobald die Bestellung **aufgegeben war**, kam schon die Bestätigungsmail.
6. Als die Siegesfeier **beendet war**, gestand er, dass er unerlaubte Substanzen **eingenommen hatte**.
7. Das Einsatzkommando überprüfte alle Fahrzeuge, weil der groß angelegte Schmuggel **aufgeflogen war**.
8. Stürmischer Applaus **setzte ein**, als der Startenor die Bühne betreten hatte.
9. Nachdem sie die unregelmäßigen Verben **geübt hatten**, konnte ihnen bei der Lernkontrolle kein Fehler unterlaufen.
10. Als er die Aufgabe zur Zufriedenheit aller **erledigt hatte**, stand er auf und **ging** nach Hause.
11. Sie hüpfte vor Freude durch das Zimmer, nachdem sie die Zusage **bekommen hatte**.
12. Nachdem er das Feuilleton **gelesen hatte**, beschloss er, eine Entgegnung zu verfassen.
13. Ich gehe erst nach Hause, nachdem ich die Unterschrift **erhalten habe**.
14. Ich las letzte Woche einen Brief, der mein Leben **veränderte**. (Gleichzeitigkeit)

Seite 108, A28 (Lösung):

1. Das Entwicklungsland war relativ arm **an** Bodenschätzen.
2. Die starke Medizin wird **gegen** die Erkrankung helfen.
3. Wir interessieren uns nicht ein bisschen **für** diesen Mainstream-Film.
4. Der Vortragende kam **auf** seine Anfangsthese noch einmal zurück.
5. Die Fragestellung lässt sich **nach mehreren Aspekten** einteilen.
6. Sie glaubt noch immer **an** die Unschuld des rechtskräftig Verurteilten.
7. Richten Sie Ihr Schreiben rechtzeitig **an unsere** Rechtsabteilung.
8. Unser Konflikt beruht **auf einem Missverständnis.**
9. Ich machte sie aufmerksam **auf ihren** schweren Fehler.
10. Sie schimpfen immer **über** die Rücksichtslosigkeit mancher Mitmenschen.
11. Er tauschte die alten, verschlissenen Sportschuhe **gegen** ein neues Paar.
12. Ich schließe aus ihrem Gesichtsausdruck **auf** nichts Positives.
13. Sie beginnen zunächst **mit** der Erstellung der Tabellen.
14. Er polemisiert in seinen Glossen ständig **gegen** die gesellschaftlichen Zustände.
15. Dies ist wesentlich **für** die Vorbereitung der nächsten Schritte.
16. **In** diesen Dingen ist unser neuer Chef leider nicht sehr erfahren.
17. Er hat sich wirklich sehr **in** diesem Mitarbeiter getäuscht.
18. Ich rate dir **zu** mehr Zurückhaltung, vor allem in offiziellen Angelegenheiten.
19. Nach dieser Aufregung war die alte Dame blass **vor** Schreck.
20. Beim Verspielen seines Ersparten war er frei **von allen** Hemmungen.
21. Die Studenten distanzierten sich **von dieser sinnlosen** Aktion.
22. Das Delikt fällt **unter** den Tatbestand der Schlepperei.
23. Dieses Statement dient **zur** Ablenkung vom eigentlichen Thema.
24. Der Dieb wurde **zu zwei Jahren** Haft mit Bewährung verurteilt.
25. Lass dich von niemandem **von** diesem Vorhaben abhalten.
26. Ich habe **von der neuesten technologischen** Errungenschaft gehört.
27. Letzte Nacht träumte das Kind wieder **von diesem unsagbaren** Erlebnis.
28. Sie sollte sich endlich **um** mehr Pünktlichkeit und Ordnung bemühen.

Seite 109, A29 (individuelle Lösungen)

Seite 109, A30 (Lösung und Lösungsvorschläge):

in Frage **kommen**, in Besitz **sein**, auf dem Laufenden **sein**, in Gang **kommen/bringen/setzen**, zu Rate **ziehen**, unter Druck **sein/stehen**, in Bedrängnis **kommen**, einen Kompromiss **eingehen**, die Maßnahmen **setzen/ergreifen**, zur Rechenschaft **ziehen**, in Aussicht **stellen/bringen/haben**, in Aktion **sein**, auf die Folter **spannen**, zur Stelle **sein**, unter Strafe **stellen**, Widerspruch **anmelden/leisten**, sich ins Zeug **legen**, sich zu Wort **melden**, Anteil **nehmen**, zur Kenntnis **bringen/nehmen**, seinen Abschied **nehmen**, zur Auffassung **kommen**, außer Frage **sein/stehen**, Einfluss **nehmen**, in Kauf **nehmen**, außer Kraft **sein/setzen**, in Kenntnis **bringen/setzen**, Beschwerde **einlegen/einreichen**, zur Rede **stellen**, zum Vorschein **kommen**, in den Wahnsinn **treiben**, ins Vertrauen **ziehen**, zur Überzeugung **gelangen**, zur Sprache **bringen**, Stellung **nehmen/beziehen**, zur Tat **schreiten**, in Verruf **geraten**, in Wettbewerb **sein/stehen** mit, zur Verfügung **stellen/sein/stehen**, in Verbindung **bringen/sein**, außer Sichtweite **stellen**, ins Leben **bringen/rufen**, sich im Klaren **sein**, in Betrieb **nehmen/sein**, in Betracht **ziehen**, zur Auswahl **stellen**, im Begriff **sein**, zur Anschauung **bringen**, im Auge **behalten**, Rücksicht **nehmen** auf

Seite 110, A31 (Lösung):

„anscheinend" oder „scheinbar"? *(Lösungen sind diskutierbar – Bedeutungsunterschiede!)*
Sie fehlt heute seit der zweiten Unterrichtsstunde, **anscheinend** ist sie krank geworden. Leider hat es nur **scheinbar** zum Erfolg beigetragen. So wie er sich verhält, hat er **anscheinend** nichts zu verlieren. Du bist **anscheinend** sehr glücklich mit dem neuen Partner.

„natürlich" oder „naturgemäß"?
Es war **natürlich** nicht nur ihre Schuld. Sie zogen aufs Land und wollten **naturgemäß** leben. Er handelte **naturgemäß** und ergriff die Flucht. **Natürlich** ist das vollkommen richtig.

„kindisch" oder „kindlich"?
Ihr **kindisches** Gekicher während des Films war für alle sehr störend. Das Verhalten meiner kleinen Schwester ist noch sehr **kindlich**. Sie tranken zum ersten Mal Alkohol und begannen sehr bald, sich **kindisch** zu benehmen.

„sicher" oder „sicherlich"?
Sie hat den Führerschein seit drei Wochen und fährt schon sehr **sicher**. Wir haben **sicherlich** sehr viel Spaß bei der Feier. Das ist der **sichere** Weg zum Erfolg!

„neuerdings", „neulich" oder „neuerlich"?
Neuerdings erscheint die Zeitschrift einen Tag früher. Sie hat mich **neuerlich** (zum dritten Mal) um einen Vorschuss gebeten. **Neulich** traf ich ihn im Café im Zentrum. **Neuerdings** trägt sie der Mode entsprechende Kleidung.

„rückwärts" oder „hinten"?
Der Zug wird in der nächsten Station geteilt, die Reisenden nach Prag sollen bitte **hinten** einsteigen. Die Parkplätze befinden sich **hinten** im zweiten Hof. Er musste ein Stück **rückwärts**fahren, was ihm in der engen Straße nicht leicht fiel. Ich ging einen kleinen Schritt nach **hinten** und konnte dem fallenden Ast knapp ausweichen.

Zeitangaben auf „-lich" oder „-ig"?
Die Zeitung erscheint täg**lich** pünktlich um sechs Uhr. Die neue Zeitschrift erscheint monat**lich**. Unser dreitä**giger** Urlaub auf dem Bergbauernhof war sehr erholsam. Der sonntäg**liche** Spaziergang meiner Großmutter ist eine gute Abwechslung für sie. Während der Schulzeit muss ich leider sehr zeit**ig** aufstehen. Die Seilbahn auf die Rax verkehrt halbstünd**lich**. Die einwöch**ige** Pause hast du dir wohl verdient. Der einmal**ige** Kuraufenthalt hatte keinerlei Wirkung gezeigt.

Seite 111, A32 (Lösung):

E	l	a	b	o	r	a	t					schriftliche Arbeit, Ausarbeitung
H	o	m	o	n	y	m	e					gleichlautende Wörter unterschiedlicher Bedeutung
A	k	r	i	b	i	e						besondere Genauigkeit, Sorgfalt
i	n	v	o	l	v	i	e	r	e	n		jemanden in etwas verwickeln
G	l	a	m	o	u	r						Glanz, betörende Aufmachung
M	y	t	h	o	l	o	g	i	e			überlieferte Götter-, Heldensage eines Volkes
o	b	s	k	u	r							undurchsichtige, verdächtige Aussage
P	s	e	u	d	o	n	y	m				Deckname, Künstlername
R	e	s	s	e	n	t	i	m	e	n	t	Abneigung, gefühlsmäßige Ablehnung
t	r	a	n	s	z	e	n	d	e	n	t	übersinnlich, jenseitig
B	l	a	s	p	h	e	m	i	e			Gotteslästerung
I	n	t	e	l	l	e	k	t				Verstand, Vernunft
D	i	f	f	a	m	i	e	r	u	n	g	Verleumdung
P	l	a	g	i	a	t						Diebstahl geistigen Eigentums
U	n	i	k	a	t							in einer einzigen Ausführung vorhanden
Z	e	r	e	m	o	n	i	e				feierliche Handlung in genau festgelegter Form
I	m	p	r	e	s	s	u	m				Angabe über Verleger, Druckerei etc. in Zeitungen und Büchern
D	i	l	e	t	t	a	n	t				jemand, der unsachgemäß arbeitet
P	i	k	t	o	g	r	a	m	m			bildliches Zeichen
A	n	a	g	r	a	m	m					ein Rätsel mit Buchstabenumstellung

Seite 111, A33 (Lösung):

1d, 2b, 3a, 4c

Seite 117, A37 (Lösung):

Jeans – Baumwollhose, Sandwich – Doppelbrot, zwei zusammengeklappte belegte Brotscheiben, Handy – Mobiltelefon, Smartphone – Berührungsmobiltelefon, PC – persönlicher Computer, Notebook – elektronisches Notizbuch, Ketchup – Paradeiserextrakt, Biker – Radfahrer, Boxershorts – Kampfsporthose, Motocross – Motorradrennen auf einer abgesteckten Rundstrecke im Gelände, Sprit – Treibstoff, Sport – Körperertüchtigung, Radio – Rundfunk, Reality-TV – Wirklichkeitsfernsehen, tipptopp – tadellos, Pony – Stirnfransen

Seite 121, A42a (Lösung):

Redewendung	heimliche Botschaft	neutraler Begriff
Frauenarbeit	Arbeit, die nur Frauen erledigen, meist schlecht bezahlte Arbeit	Erwerbstätigkeit von Frauen
Warmduscher	schwacher, feiger Mann	eine sensible, ängstliche Person
Softie	Mann, der nicht dem traditionellen, maskulinen Rollenbild entspricht, sondern auch traditionell feminine Charakterzüge an den Tag legt	ein Mann von sanftem, empfindungsfähigem Wesen
Du Mädchen!	aus der Geschlechtszugehörigkeit wird ein Vorwurf gemacht	Schwächling
herumzigeunern	ein ungeordnetes, unstetes Leben führen	nicht sesshaft sein
Mannweib	Frau mit männlichen Eigenschaften	große, starke, männlich wirkende Frau
Eingeborene	Angehörige eines Volkes in Afrika, Amerika etc., die dort schon vor Eintreffen der Europäer gelebt haben und als minderwertig angesehen wurden	Ureinwohner, einheimische, indigene Bevölkerung
Mischlingskind	Kind, dessen Eltern meist unterschiedliche Hautfarben haben	Person, deren Elternteile verschiedenen Bevölkerungsgruppen angehören
Schwarzer Kontinent	Kontinent, auf dem Menschen mit dunkler Hautfarbe (schwarz) leben	Afrika
schwaches Geschlecht	Frauen sind schwach	Frauen
Asoziale	Personen, die von den gesellschaftlichen Normen abweichen (Bettler, Obdachlose, Fürsorgeempfänger, Suchtkranke)	an die Gesellschaft unangepasste Personen

In Anlehnung an: Baustein zur nicht-rassistischen Bildungsarbeit. Online: baustein.dgb-bwt.de/index.php4 (10. 05. 2014)

3 sRDP-ADÄQUATE SCHREIBAUFGABEN[1] IN DEN KAPITELN 1–7

Kapitel	Textsorte	Anzahl der Schreibaufgaben
1	Zusammenfassung	1
	Erörterung	1
	Textanalyse (fiktionaler Text, Infografik)	2
2	Meinungsrede	2
3	Textanalyse (Sachtext)	1
	Leserbrief	2
	Zusammenfassung	1
	Meinungsrede	1
	Erörterung	2
	Textinterpretation	2
4	Kommentar	1
	Leserbrief	1
5	Textanalyse (fiktionaler Text)	1
6	Textanalyse (Sachtext)	1
	Empfehlung	2
	offener Brief	2
	Leserbrief	2
	Kommentar	2
	Meinungsrede	2
	Textinterpretation	3
	Erörterung	2
7	Leserbrief	2
	Kommentar	1
	Erörterung	1

[1] *sRDP-adäquat: Die Schreibaufgabe enthält alle formalen und inhaltlichen Vorgaben des neuen Prüfungsformats:*

- *situativer Kontext*
- *explizit ausgewiesene Textsorte*
- *Textvorlagen*
- *Formulierung mittels Operatoren*
- *vorgegebene Wortanzahl*

4 LESEVORSCHLÄGE (BUCHTIPPS) UND ARBEITSANLEITUNGEN

Auf den folgenden Seiten finden Sie einige Lesetipps und Arbeitsanleitungen, die zur individualisierten Weiterarbeit oder als Arbeit im Klassenverband eingesetzt werden können. Sie dienen dem Training der Kompetenzbereiche Lesen, Schreiben und Reflexion. Die Arbeitsaufträge sind offen formuliert, um ein großes Maß an Kreativität zuzulassen. Sie sollen auch dazu motivieren, sich noch intensiver mit dem Thema auseinanderzusetzen.

Erich Hackl: Abschied von Sidonie. Diogenes Verlag

(ergänzend: Karl-Markus Gauß: Die Hundeesser von Svinia. Paul Zsolnay Verlag)

Aufgabenstellungen:

Vor dem Lesen der Erzählung:

- Recherchieren Sie die wichtigsten historischen Daten der Zwischenkriegszeit in Österreich.
- Informieren Sie sich über den Begriff „Austrofaschismus".
- Besprechen Sie in einem Klassengespräch das Thema „political correctness" im Zusammenhang mit dem Begriff „Zigeuner".

Während des Lesens der Erzählung:

- Fassen Sie kapitelweise die wichtigsten Geschehnisse der Erzählung zusammen.
- Notieren Sie die politische Einstellung der Protagonisten Josefa und Hans Breirather.
- Wie würden Sie das Kind Sidonie charakterisieren? Denken Sie daran, die Charaktereigenschaften anhand von Situationen festzumachen.
- Stellen Sie in Form einer Skizze ein Personenverzeichnis dar, in dem Sie auch die Beziehung der Personen zueinander festhalten.
- Recherchieren Sie, welche Bedeutung die Stadt Steyr in den 30er-Jahren des 20. Jahrhunderts hatte.
- Achten Sie auf die Sprache des Textes: Wie wurde die Erzählung verfasst? Welcher Textsorte kommt die Erzählung sehr nahe? Was könnte die Intention des Autors sein, seine Erzählung in diesem Stil zu verfassen?

Nach dem Lesen der Erzählung:

- Informieren Sie sich über das Leben des österreichischen Autors Erich Hackl und stellen Sie einen übersichtlichen kurzen Lebenslauf zusammen.
- Informieren Sie sich über die von Erich Hackl verfassten Werke und Themen seiner Texte.
- Informieren Sie sich über die Herkunft von Roma und Sinti, ihre Sprache, ihre Bräuche.
- Recherchieren Sie die Situation der Roma und Sinti zur Zeit des Nationalsozialismus.
- Recherchieren Sie, wie sich die Republik Österreich den Opfern des Nationalsozialismus, insbesondere den Roma und Sinti, gegenüber verhalten hat.
- Informieren Sie sich über die aktuelle Situation von Roma und Sinti und halten Sie Ihre Informationen in einer Übersicht fest.
- Diskutieren Sie, welche Personen in der Erzählung mit ein wenig Zivilcourage das Schicksal von Sidonie hätten beeinflussen können.
- Erklären Sie die Begriffe „Opportunismus" und „Solidarität" und bringen Sie diese mit Personen in der Erzählung, die sich entsprechend verhalten, in Zusammenhang. Begründen Sie Ihre Entscheidung anhand von Textstellen.
- Vergleichen Sie die Erzählung mit der Verfilmung „Sidonie" von Karin Brandauer.

Janne Teller: Nichts. Was im Leben wichtig ist. Deutscher Taschenbuch Verlag

Aufgabenstellungen:

Vor dem Lesen des Romans:

- Schreiben Sie in einem Brainstorming alles auf, was Ihnen zum Titel des Romans einfällt.
- Notieren Sie, welche Erwartungen Sie aufgrund des Titels haben, welche Handlung könnte auf Sie zukommen?
- Recherchieren Sie den philosophischen Begriff „Nihilismus".
- Sammeln Sie auf Kärtchen Begriffe, wer oder was für Sie im Leben Bedeutung hat.
- Clustern Sie im Anschluss die Kärtchen nach Personen/Gegenständen/Abstrakta.

Während des Lesens des Romans:

- Notieren Sie in Stichworten den Verlauf der Handlung und kommentieren Sie in einem Lesetagebuch, welche Gefühle Sie mit dem Handlungsverlauf verbinden.
- Charakterisieren Sie die Hauptfiguren Agnes, Pierre Anthon, Sofie, Jan-Johan und Elise und beschreiben Sie die Entwicklung der Figuren im Laufe der Handlung.
- „Der Berg der Bedeutung" – schreiben Sie auf, was auf dem Berg gesammelt wird und welchen Lebensbereich bzw. welche Wertigkeit die Gegenstände symbolisieren.
- Lassen Sie eine der Hauptfiguren Tagebuch führen, in welchem die Gefühle der Figur und die Beweggründe für ihr Handeln dargestellt werden.

Nach dem Lesen des Romans:

- Informieren Sie sich über das Leben und Werk der Autorin Janne Teller und stellen Sie einen übersichtlichen kurzen Lebenslauf zusammen.
- Recherchieren Sie die Reaktionen, die nach dem Erscheinen des Romans folgten. Stellen Sie positive und negative Reaktionen einander gegenüber.
- Gestalten Sie einen „Berg der Bedeutung", indem Sie selbst Ihre persönlichen Gegenstände darstellen, die auch symbolisch für etwas stehen können.
- Diskutieren Sie in der Klasse, wie Sie den Ankauf des „Bergs der Bedeutung" durch das Museum beurteilen. Ist die Handlungsweise der Erwachsenen gerechtfertigt?
- Wie könnte ein Museum solch einen „Berg der Bedeutung" in seiner Sammlung rechtfertigen? Überlegen Sie, was daran für Ausstellungsbesucherinnen bzw. -besucher interessant sein könnte und wie ein Museum solch eine Sammlung bewerben und vermarkten könnte.
- Stellen Sie sich vor, sie wären die ältere Schwester bzw. der ältere Bruder von Sofie, die bzw. der von der Gewalt erfährt. Führen Sie einen Dialog.
- Agnes gelangt an einen Punkt, an dem sie möchte, dass das Sammeln für den „Berg der Bedeutung" aufhört. Welche Argumente findet sie?
- Notieren Sie, warum die Jugendlichen meinten, dass Pierre Anthon gewonnen hätte.
- Überlegen Sie sich, wie in zehn Jahren die jungen Erwachsenen die Erlebnisse reflektieren könnten.
- Schreiben Sie eine Buchempfehlung zu dem Roman und begründen Sie sachlich Ihre positive oder negative Bewertung. Geben Sie auch eine Altersempfehlung an.

Igor Bauersima: norway.today. Fischer Taschenbuch Verlag

(ergänzend: Johann Wolfgang von Goethe: Die Leiden des jungen Werther. Reclam Universal-Bibliothek)

Aufgabenstellungen:

Vor dem Lesen des Dramas:

- Recherchieren Sie die Dramenformen, insbesondere die Begriffe „offenes" und „geschlossenes" Drama.
- Machen Sie eine Klassenumfrage über Internetgewohnheiten. Welche Seiten werden häufig besucht? Was versteht man unter dem Begriff „second life"? Diskutieren Sie in der Gruppe, welche Argumente für die Internetnutzung sprechen und welche dagegen. Stellen Sie die Ergebnisse Ihrer Diskussion im Plenum vor.
- Informieren Sie sich über das Leben und Werk des Autors Igor Bauersima und stellen Sie einen übersichtlichen kurzen Lebenslauf und eine Werkübersicht zusammen.

Während des Lesens des Dramas:

- Das Drama ist nicht in nummerierte Akte und Szenen unterteilt. Stellen Sie anhand der Regieanweisungen die Anzahl der Szenen fest und vergleichen Sie diese mit dem Handlungsaufbau im klassischen Drama.
- Handelt es sich um ein offenes oder geschlossenes Drama? Begründen Sie Ihre Entscheidung.
- Suchen Sie im Internet mindestens drei (möglichst neue) Rezensionen über das Stück. Drucken Sie diese aus und beschreiben Sie ihre wesentlichen Aussagen. Denken Sie daran, die Quellen anzuführen.

Nach dem Lesen des Dramas:

- Erklären Sie den Begriff „Schwarzer Humor" und stellen Sie anhand von Beispielen dar, wo er im Stück eingesetzt wird.
- Verfassen Sie ein Schreiben an die Hauptfiguren Julie und August, in dem Sie Ihre persönliche Meinung über die Absicht, sich das Leben zu nehmen, darstellen. Versuchen Sie, auf die Argumente der Figuren einzugehen.
- Lesen Sie den Textausschnitt „Das Lebensgefühl von August" (Igor Bauersima: norway.today. 12. Auflage, Frankfurt am Main, Fischer Taschenbuch Verlag, 2013, S.12). Was kritisiert August am Leben, welche Momente schätzt er? Stellen Sie einen Zusammenhang zu dem Phänomen der Suche vieler Jugendlicher nach Extremerfahrungen her. Lesen Sie die Gründe, die Julie im Internet angibt, warum sie ihr Leben beenden will. Stellen Sie die Motive der beiden Hauptfiguren stichwortartig gegenüber. Finden Sie zu jedem Motiv ein Gegenargument, mit dem Sie beweisen, dass Lebensüberdruss die schlechteste Lösung der vermeintlichen Probleme ist.
- Welche Motive bewegen Werther in dem Briefroman von Johann Wolfgang von Goethe, sein Leben zu beenden? Recherchieren Sie, welche Maßnahmen auf den Roman von Goethe zum Schutz der jungen Leserinnen und Leser getroffen wurden.

Vea Kaiser: Blasmusikpop oder Wie die Wissenschaft in die Berge kam. Verlag Kiepenheuer & Witsch

Aufgabenstellungen:

Vor dem Lesen des Romans:

- Verfassen Sie ein Brainstorming, was Sie mit dem Titel des Romans assoziieren.
- „Ein 14,8 Meter langer Fischbandwurm, eine Seifenkiste mit Kurs auf den Mond, eine schwangere Dorfprinzessin, eine altphilologische Geheimgesellschaft, ein Jungfußballer mit dem Herz am rechten Fleck, eine sinistre Verschwörung der Dorfältesten sowie jede Menge poppige Blasmusik gehören zum einzigartigen Mikrokosmos des abgeschiedenen Bergdorfes St. Peter am Anger." aus: „Blasmusikpop oder Wie die Wissenschaft in die Berge kam." von Vea Kaiser © 2012 by Verlag Kiepenheuer & Witsch GmbH & Co. KG, Köln (Klappentext)
- Recherchieren Sie Ihnen unbekannte Wörter im Klappentext und schreiben Sie Ihre Erwartungshaltungen aufgrund dieser einleitenden Worte auf.
- Recherchieren Sie den Begriff „Geheimgesellschaften". Stellen Sie übersichtlich dar, welche Art von geheimen Gesellschaften sich im Laufe der Jahrhunderte gebildet haben und welche Ziele diese Gesellschaften hatten.
- Diskutieren Sie in einem Klassengespräch, welche Bedeutung „Dialekt", „Umgangssprache" und „Standardsprache" in Ihrem Lebensumfeld haben. Überlegen Sie, ob sie negative Erfahrungen bei der Verwendung der jeweiligen Sprache gemacht haben.
- Recherchieren Sie, was man unter „humanistischen Bildungsidealen" versteht, und begründen Sie, welche Sie heute als wichtig oder weniger wichtig erachten.

Während des Lesens des Romans:

- Sie finden im Buch einen Plan des Dorfes. Kopieren Sie diesen und tragen Sie die Schlüsselszenen des Romans ein.
- Stellen Sie in Form eines Balkens die Entwicklung der Hauptfigur stichwortartig dar.
- Charakterisieren Sie die für Sie interessanten Figuren des Romans.
- Stellen Sie grafisch die Dorfbewohnerinnen und Dorfbewohner und ihre Beziehungen zueinander dar.
- Notieren Sie stichwortartig das Geschehen des Romans.

Nach dem Lesen des Romans:

- Informieren Sie sich über das Leben und Werk der Autorin Vea Kaiser und stellen Sie einen übersichtlichen kurzen Lebenslauf zusammen. Lesen Sie dazu auch den Bericht in der Tageszeitung *Die Presse* (Online: http://diepresse.com/home/panorama/wien/1403879).
- Überlegen Sie, wie Sie diesen Roman verfilmen könnten:
    - Welche Figuren würden Sie mit welchen Schauspielerinnen bzw. Schauspielern besetzen?
    - Wo sollte der Film gedreht werden?
    - Welche filmischen Mittel würden Sie einsetzen (Musik, Beleuchtung, Kameratechnik etc.)?
    - Zeichnen Sie ein Storyboard zu einer Schlüsselszene in Ihrer Verfilmung.
- Überlegen Sie sich, welche Veranstaltung Ihr „Traumevent" wäre und wie Sie selbst diesen in Ihrer Heimatstadt/Heimatgemeinde organisieren würden. Schreiben Sie Ihre Planung auf und präsentieren Sie diese der Klasse.

Patrick Süskind: Der Kontrabass. Diogenes Verlag

Aufgabenstellungen:

Vor dem Lesen des Stückes:

- Erfragen Sie in einem Klassengespräch, welche Musikinstrumente Ihre Mitschülerinnen und Mitschüler spielen und warum sie das Erlernen dieses Instruments gewählt haben.
- Welche Art von Musik hören Sie am liebsten? Welche Art von Musik lehnen Sie ab? Begründen Sie Ihre Entscheidung.
- Recherchieren Sie über das Musikinstrument „Kontrabass" und hören Sie sich nach Möglichkeit ein Musikstück an, in dem ein Kontrabass vorkommt.
- Recherchieren Sie wichtige Lebensdaten des Autors Patrick Süskind und verfassen Sie eine Kurzbiografie.

Während des Lesens des Stückes:

- Schreiben Sie stichwortartig den Fortgang der Handlung auf.
- Notieren Sie, welche Textstellen beim Lesen bestimmte Stimmungen bei Ihnen ausgelöst haben (z. B. Heiterkeit, Abneigung, Ärger, Langeweile).
- Notieren Sie, welche positiven und welche negativen Gefühle der Musiker für sein Musikinstrument hegt.
- Was könnte es bedeuten, dass der Protagonist vom Autor als „Jemand" bezeichnet wird?
- Welches Weltbild des Protagonisten zeigt sich im Verlauf des Monologs? Notieren Sie stichwortartig auffällige Passagen im Text.
- Zeichnen Sie ein Charakterbild des Protagonisten aufgrund seines Monologs. Begründen Sie Ihre Charakterisierung mit Textpassagen.
- Stellen Sie die Lebenswelt der Hauptfigur dar (z. B. Privatleben, Beruf, Wohnung).

Nach dem Lesen des Stückes:

- Verfassen Sie selbst einen Text zu einem Gegenstand, mit dem Sie eine Art Hassliebe verbindet.
- Schreiben Sie eine Theaterkritik/Buchkritik zu dem Stück. Geben Sie kurz den Inhalt wieder und verfassen Sie eine Empfehlung oder Nichtempfehlung, das Stück zu sehen bzw. das Buch zu lesen.
- Verfassen Sie ein Interview mit der Hauptfigur und stellen Sie „Jemand" jene Fragen, die nach dem Lesen des Stückes für Sie unbeantwortet geblieben sind.
- Versuchen Sie in einer Gruppenarbeit, eine Inszenierung des Stückes zu skizzieren: Überlegen Sie sich das Bühnenbild, technische Hilfsmittel, die Besetzung des Schauspielers.
- Verfassen Sie einen Text, in dem ein Rockmusiker über seine Hassliebe zu seiner „E-Gitarre", zu seinem Schlagzeug oder Ähnlichem schreibt.

Helene Flöss: Dürre Jahre. Haymon Verlag

Aufgabenstellungen:

Vor dem Lesen der Erzählung:

- Betrachten Sie das Cover des Buches. Welche Assoziationen verbinden Sie mit dem Bild und dem Titel der Erzählung?
- Besprechen Sie in einer Gruppe, was Sie mit den Begriffen „Schönheit“, „Gesundheit“, „Krankheit“ verbinden.
- Gestalten Sie eine Mindmap zum Thema „Essstörungen“.
- Gestalten Sie ein Plakat zum Thema „gesunde Ernährung“.

Während des Lesens der Erzählung:

- Schreiben Sie stichwortartig die Entwicklung der Protagonistin Dali auf.
- Charakterisieren Sie die Hauptfigur: In welchen Situationen bestimmt „Essen“ für sie jede Handlungsweise? Notieren Sie die Passagen, in denen sich das gesamte Leben der Nahrungsaufnahme unterordnet. Wie sieht der Tagesablauf Dalis aus? Was treibt sie an? Welche Aktivitäten sind ihr wichtig?
- Schreiben Sie auf, wie die Mitmenschen auf Dalis Veränderung reagieren und wie sich das Verhältnis Dalis zu ihren Mitmenschen wandelt.
- Recherchieren Sie den Begriff „BMI“ und berechnen Sie den BMI Dalis zu Beginn und während der Handlung.

Nach dem Lesen der Erzählung:

- Informieren Sie sich über das Leben und Werk der Autorin Helene Flöss und stellen Sie einen übersichtlichen kurzen Lebenslauf zusammen.
- Suchen Sie im Internet Sachtexte über die körperlichen und auch psychischen Veränderungen von Magersüchtigen und vergleichen Sie, inwiefern sich diese mit den Darstellungen Dalis decken.
- Dali setzt sich das Ziel, ein Vögelchen zu werden: Welche Eigenschaften werden Vögeln zugeschrieben? Stellen Sie positive und negative Assoziationen mit dem Begriff „Vogel“ gegenüber.
- Gestalten Sie ein Buchcover zu der Erzählung, auf dem das Motiv des Vogels ein Hauptelement darstellt.
- Verfassen Sie eine Buchempfehlung zu der Erzählung.
- Diskutieren Sie in der Klasse, warum besonders junge Mädchen von Essstörungen betroffen sind.
- Stellen Sie sich vor, sie wären die beste Freundin bzw. der beste Freund Dalis. Verfassen Sie einen Brief an Dali, in welchem Sie Ihre Sicht der Entwicklung des Mädchens darstellen.
- Recherchieren Sie, welche Agenturen, Modefirmen, Zeitschriften etc. keine magersüchtigen Models mehr für Jobs engagieren.
- Kennen Sie weitere literarische Werke oder Verfilmungen zu Problematiken wie Sucht oder Essstörungen? Diskutieren Sie in der Klasse darüber.

5 TRAININGSAUFGABEN INKLUSIVE SCHÜLERARBEITEN

Die Arbeiten der Schülerinnen und Schüler sind **nicht als Musterlösungen** anzusehen. Es geht vielmehr darum zu beurteilen, wie in den Schülerarbeiten die Aufgabenstellungen gelöst wurden. Deshalb ist es sinnvoll, sie im Klassenverband oder in einer Gruppe anhand bestimmter Kriterien zu analysieren. Somit können eventuelle formale oder inhaltliche Defizite bzw. die unterschiedlichen Anforderungen der Textsorten aufgezeigt werden.

Bewertungskriterien einer Empfehlung:

- Die Einleitung enthält eine Bezugnahme auf den Zeitungsartikel. Der darin dargelegte Sachverhalt wird sachlich kurz dargestellt.
- Der Hauptteil enthält eine sachlich begründete Bewertung, die mit schlüssigen Argumenten darstellt, warum eine Empfehlung (oder keine Empfehlung) erfolgt.
- Im Schlussteil erfolgt ein Appell.
- Die Argumentationslinie ist klar dargestellt und für die Leserin bzw. den Leser erkennbar. Die Kriterien der Auswahl oder Bewertung sind dargelegt.
- Auf Adressatenorientierung wird geachtet: eine prägnante Ausdrucksweise, eine starke Argumentationslinie und einen Appell.
- Durch die Analyse der Sachfrage sowie entsprechende Schlussfolgerungen wird die Leserin bzw. der Leser der Empfehlung von der Argumentation überzeugt.
- Die Operatoren führen durch die Textsorte und geben die zentralen Schreibaufträge vor: informieren, argumentieren und appellieren.
- Hätte man eine Ergänzung vornehmen können? Was ist Ihrer Meinung nach überflüssig?
- Die verlangte Wortanzahl wird eingehalten.

Aufgabenstellung:

Verfassen Sie eine **Empfehlung**.

Sie haben ein Bewerbungstraining absolviert und viele interessante und wichtige Informationen und Tipps bezüglich richtigen Bewerbens in einem Unternehmen bekommen. Im Zuge dieses Trainings haben Sie auch den Bericht „Sechs Sekunden, die über Ihr Leben entscheiden" gelesen und möchten diese und weitere Tipps zum Thema „Bewerben" in der Schülerzeitung darstellen.

Lesen Sie den Bericht „Sechs Sekunden, die über Ihr Leben entscheiden" (Textbeilage 1) aus der Tageszeitung *Die Presse* vom 4. Februar 2015.

Verfassen Sie nun eine **Empfehlung** und bearbeiten Sie folgende Arbeitsaufträge:

- **Benennen** Sie die wichtigsten Dinge, die den ersten Eindruck in einer Bewerbung entscheiden können.
- **Bewerten** Sie diese Tipps vor allem hinsichtlich Ihrer eigenen Erfahrungen und Erkenntnisse zum Thema „Bewerbung".
- **Appellieren** Sie an Jugendliche, sich die wesentlichsten Umgangsformen anzueignen.

Schreiben Sie zwischen 405 und 495 Wörter.

Textbeilage 1:

6 Sekunden, die über Ihr Leben entscheiden

Sechs Sekunden, das ist in etwa die Zeit, die sich ein Recruiter[1] eines großen Unternehmens für Ihre Bewerbung nimmt. Hier ein paar Tipps vom Experten, wie sie Ihre Chancen auf ein Interview erhöhen.

Sechs Sekunden, das ist in etwa die Zeit, die sich ein Recruiter eines großen Unternehmens für Ihre Bewerbung nimmt. Günther Strenn, Geschäftsführer von USG Professionals Österreich, verrät was Bewerber tun können, um ihre Chancen zu wahren.

- **Rechtschreibung.** Für 61 Prozent der Personal-Manager sind Tipp- und Rechtschreibfehler ein klares Knockout-Kriterium. Also lesen Sie mehrfach Ihre Bewerbung durch bevor sie gesendet wird.
- **Der Schlüssel – „Wörter" zum Erfolg.** Innerhalb eines großen Unternehmens bleiben den HR[2] Verantwortlichen oft nur wenige Sekunden für die einzelnen Bewerbungen. Besonders wird dabei auf relevante Keywords[3] geachtet. Um nicht sofort durch diesen Raster zu fallen, beachten sie genau die Ausschreibung und versuchen sie wichtige Schlagworte in Ihren Lebenslauf und das Motivationsschreiben zu übernehmen.
- **Kein Schnuki64@love.at.** Eine seriöse E-Mail-Adresse ist ein Muss. Bei 76 Prozent der Personalmanager landet eine unprofessionelle Adresse sofort im „Leider Nein"-Ordner.
- **Social Media.** Achten Sie darauf, dass Ihre Angaben mit den Daten auf LinkedInn[4] und Xing[4] übereinstimmen. Legen Sie sich auf diesen Plattformen einen Account an. Recruiter verbringen in etwa 20 Prozent Ihrer Arbeitszeit in solchen Netzwerken. Halten Sie ihren Facebook Account clean. Kein Arbeitgeber will Sie beim Feiern sehen.
- **Morgenstund hat Gold im Mund.** Informieren Sie sich täglich über die neuesten Ausschreibungen und seien Sie schnell. Für Günther Strenn fängt der frühe Vogel den Wurm.
- **Connection.** Seien Sie nicht scheu und nutzen Sie ihr Netzwerk. Bewerbungen, die intern gehandelt werden, berücksichtigen Personaler im Schnitt länger als externe. Auch eine persönliche Empfehlung ist immer hilfreich.
- **Unter- oder überqualifiziert.** Die Hälfte aller Bewerbungen erfüllen nicht die Voraussetzungen. Arbeitserfahrung wird vielfach vorausgesetzt und ist bei jungen Uniabsolventen oft Mangelware. „Dabei werden unterqualifizierte Bewerber genauso aussortiert wie überqualifizierte", sagt Strenn.

Thienen, Pia: 6 Sekunden, die über Ihr Leben entscheiden. In: Die Presse, 04.02.2015. Online: http://diepresse.com/home/diverse/karriereapp/4654723/6-Sekunden-die-uber-Ihr-BerufsLeben-entscheiden?from=suche.intern.portal (09.04.2015)

---

[1] *Recruiter (engl. recruite: anwerben): Personalchef*

[2] *HR (engl. Human Resources): Personalwesen*

[3] *Keyword (engl.): Schlüsselwort*

[4] *LinkedInn und Xing: soziale Plattformen, auf denen man Geschäftskontakte knüpfen und pflegen kann; internationale Job-Netzwerke*

Schülerarbeit:

Empfehlung – 6 Sekunden, die über Ihr Leben entscheiden

Die Schularbeiten folgen einander dicht auf dicht, die letzten Prüfungen sind im Schulstress zu bestehen, und dann wurde auch die Matura in null Komma nichts absolviert. Doch was steht jedem Absolventen oder jeder Maturantin nun bevor? Die Entscheidung, ob der nächste große Schritt ein Studium, ein Auslandsjahr oder gar der Einstieg in die Arbeitswelt ist, bleibt jedem selbst überlassen. Trotzdem gibt es eine Hürde, die nun jeder von uns überwinden muss: die Bewerbung.

Um den ersten Schritt, der einen großen Teil deiner Zukunft verändern wird, hervorragend zu meistern, sind folgende Tipps bezüglich richtigen Bewerbens, ganz besonders für dich, lieber Maturant oder liebe Maturantin, von wesentlicher Bedeutung:
Die wertvollste und wichtigste Regel, sozusagen die „Goldene Regel", besagt, dass beim Verfassen einer schriftlichen Bewerbung ein großes Augenmerk auf richtige Rechtschreibung sowie auf Keywords, die einen besonderen Bezug auf die Ausschreibung nehmen, gelegt werden soll. Vor allem meine eigenen Erfahrungen zeugen von der Bedeutung dieses Tipps. Denn auch ich musste erkennen, dass erst nach mehrmaligem Überarbeiten meiner Bewerbung ein vollständiger und durchgehend qualitativ hochwertiger Text entstanden ist.
Ein weiterer hilfreicher Hinweis ist eine seriöse E-Mail-Adresse. Gerade weil Social Media und Networks heutzutage immer mehr an Bedeutung zunehmen, ist es wichtig, über Laptop, Tablet oder Handy für den Arbeitgeber erreichbar zu sein. Angemessen ist daher das Säubern des Facebook-Profils. Auch ich lege auf Grund meines Ferialpraktikums in einer Personalabteilung großen Wert darauf, ein seriöses Gesamtbild von mir auf Twitter und Instagram zu vermitteln. Die dort erworbene Erkenntnis, dass für Personal-Recruiter sowohl unpassende E-Mail-Adressen als auch peinliche Facebook-Bilder von Summer-Splash Reisen als striktes Ausscheidungskriterium gelten, hat auch mich überzeugt.
Tägliches Bewerben sowie persönliche Beziehungen erhöhen zudem die Wahrscheinlichkeit eines Arbeitsangebotes. Die Tageszeitungen „Die Presse" und „Kurier" machen es jedem leicht. Beständig sind neue Stellenausschreibungen zu finden. Die angeforderten Qualifikationen – äußerst oft zu finden ist „berufliche Erfahrung" – werden immer höher geschraubt, doch das darf niemanden einschüchtern. Bewirb dich trotzdem! Außerordentlich hilfreich sind zudem persönliche Beziehungen! Meine Ferialjobs konnte ich oft nur aufgrund dessen ausführen, weil mein Nachbar ein gutes Wort für mich eingelegt hat. Danach haben die Verantwortlichen im Unternehmen erkannt, wie gut ich arbeite, und mir jetzt sogar schon eine fixe Stelle ab August angeboten.
Last but not least lautet mein Tipp für ein erfolgreiches Bewerbungsgespräch: Sollte dich der Recruiter zu einem Interview eingeladen haben, gilt es alle Kräfte und jede Motivation zusammen zu „raufen". Mit einer seriösen Kleidung, also einem guten Erscheinungsbild, dem richtigen Verhalten und den passenden Antworten kann dann aber nichts mehr schief gehen. Deshalb lege ich dir Folgendes ans Herz: Schreibe dir vor dem Gespräch mögliche Fragen zusammen und beantworte sie wahrheitsgetreu und so gut überlegt wie möglich. Dies wird dir helfen, später ausgezeichnete Statements abzuliefern.

Zusammenfassend ist es also am wichtigsten, einfach authentisch und seriös zu erscheinen. Stimmen Qualifikationen oder Verhaltensweisen laut Recruiter mit dem Anforderungsprofil nicht überein, ist es sowieso sehr wahrscheinlich, dass das Unternehmen oder die Arbeitsstelle nicht zu dir passt. Deshalb empfehle ich dir, lieber Maturant oder liebe Maturantin, überzeuge dich selbst. Überprüfe mein Urteil durch das Verwenden und Anwenden meiner Tipps bezüglich richtigen Bewerbens. Du wirst sehen, sie sind Gold wert und werden dir einen ausgezeichneten Start in deine Zukunft ermöglichen.

Kerstin, M. (Schülerin), Wörter: 535

Aufgabenstellung:

Verfassen Sie eine **Empfehlung**.

Sie haben schon mehrmals online eingekauft und sind sehr am Thema „Online-Shopping" interessiert. Sie haben zufällig den Bericht „Online-Shoppen wird zum Spielplatz für Zocker" gelesen, dessen Inhalt Sie sehr erstaunt hat. Sie möchten diesen Bericht und Ihre persönlichen Erfahrungen zum Thema „Online-Shopping" in der Schülerzeitung darstellen.

Lesen Sie den Bericht „Online-Shoppen wird zum Spielplatz für Zocker" (Textbeilage 1) aus der Tageszeitung *Der Standard* vom 11. März 2015.

Verfassen Sie nun eine **Empfehlung** und bearbeiten Sie folgende Arbeitsaufträge:

- **Benennen** Sie die wichtigsten Tipps, die Sie über Online-Shopping in dem Bericht gelesen haben.
- **Bewerten** Sie diese Tipps, indem Sie sie mit Ihren eigenen Erfahrungen und Erkenntnissen zum Thema „Online-Shopping versus Einkaufen im Geschäft" in Beziehung setzen.
- **Appellieren** Sie an Jugendliche, worauf beim Online-Shopping zu achten ist bzw. wann es besser sein könnte, in einem Geschäft einkaufen zu gehen.

Schreiben Sie zwischen 405 und 495 Wörter.

Textbeilage 1:

Online-Shoppen wird zum Spielplatz für Zocker

Massive Preisschwankungen für ein und dasselbe Produkt in Webshops: Experten sehen das System auf den stationären Handel überschwappen

Wien – Krank zu werden empfiehlt sich im März, am besten dienstags oder freitags. Da sind Medikamente online am günstigsten. Die häufigsten Rabatte für Schuhe gibt es donnerstags. Mittwochs fallen die meisten Preise für Elektronik. Bei Büchern ist der Wochentag einerlei - wer sparen will, sollte jedoch keinesfalls vor Beginn der kälteren Jahreszeiten zuschlagen. Möbel wiederum kauft man zumeist dienstags oder mittwochs billiger.

Gemäß einer aktuellen Studie der deutschen Shoppingplattform Spottster sollten sich Konsumenten für ihre Einkäufe im Internet an einen genauen Terminplan halten. Der junge Dienstleister hat 61 Millionen Produkte in 2200 Webshops in Deutschland, Österreich und der Schweiz auf Preisschwankungen abgeklopft und dabei eine enorme Bandbreite ausgemacht.

Am höchsten sind die Preise an Wochenenden, am meisten variieren sie bei Elektronik, weiß Spottster-Sprecherin Mona Ricken. Die Gründe, warum etwa bei Mode die Preise gerade an Donnerstagen regelmäßig sinken, konnten ihre Kollegen nicht eruieren. „Einiges davon hat uns selbst überrascht."

Wer online shoppt, braucht zusehends starke Nerven. Preise für ein und dasselbe Produkt ändern sich mitunter stündlich. Amazon passt sie teils bis zu 20 Mal am Tag neu an. „Dynamic Pricing" nennt sich die Achterbahnfahrt, die Airlines vorlebten, die in Europa ankam und mittlerweile im gesamten Onlinegeschäft Schule macht. In bis zu drei Jahren hat sie auch den stationären Einzelhandel erreicht, ist Harald Gutschi, Chef der Unito Österreich rund um den Versandhauskonzern Otto, überzeugt. Was Kunden wie Betrieben diene. „Warum soll jeder zu jeder Zeit den gleichen Preis bezahlen?"

Günstig gegen den Strom

Das Verhalten der Kunden lenke den Preis ebenso wie die Faktoren Wetter, Lagerbestand, Größe oder Farben der Ware. Selbstlernende Maschinen regelten diesen nach mathematischen Modellen auf Basis von Millionen Kundendaten. „Wer antizyklisch kauft, profitiert", erläutert Gutschi. Wer sich am Mainstream orientiert, bezahle normal. „In Summe drückt es das Preisniveau nach unten."

Auch wenn sich viele stationären Händler aus Angst vor geringeren Margen davor noch scheuen - sie werden sich von rasant ändernden Preisen nicht abkoppeln können, sagt auch Kai Hudetz, Geschäftsführer des Kölner Instituts für Handelsforschung dem STANDARD. Vor allem Unternehmen, die offline wie online auf dem Markt sind, hätten keine andere Wahl.

Die zwei größten Hürden: Digitale Preisauszeichnung geht hart ins Geld. Diese Erfahrung machte etwa die Lebensmittelkette Spar, die das Projekt vor vielen Jahren nach einem Testlauf ad acta legte. Zum anderen: Akzeptieren Kunden, dass das Jausensemmerl über die Mittagszeit teurer ist als Stunden später, oder eine Kugel Eis bei Hitze das Dreifache kostet wie bei Regenwetter? Das seien natürlich Extrembeispiele, sagt Hudetz, der stationäre Handel müsse sich dennoch an diese Fragen herantasten. „Der Preis ist eine scharfe Waffe, die vorsichtig eingesetzt gehört." Die Gefahr, Vertrauen der Konsumenten zu zerstören, sei groß.

Handelspräsident Stephan Mayer-Heinisch sieht Kunden zu Zockern werden und die Bindung zu einzelnen Händlern sinken. Und je mehr der Handel über sie wisse, desto mundgerechtere Happen könne er ihnen bieten. Seiner Erfahrung nach läuft das zunehmend auf umstrittene Systeme in der Datenerfassung hinaus.

Was Kritiker auf den Plan ruft, sind vor allem stark individualisierte Preise, in die früheres Konsumverhalten und Rückschlüsse auf die Kaufkraft der Kunden mit einfließen. Gutschi relativiert: Natürlich sei technisch alles möglich, aber der sogenannte gläserne Kunde bringe keinem etwas. Das Ganze erinnere ihn an Spekulationen über das papierlose Büro.

Ob online oder stationär in den Filialen: Für den Einzelnen werde es künftig immer schwieriger, die Preisgestaltung zu durchschauen, sagt Gabriele Zgubic, Expertin für Konsumentenschutz der Arbeiterkammer. „Transparenz leidet."

Dass via Smartphone erworbene Produkte teurer sein sollen, als über günstige Handys georderte, hat Hudetz selbst noch nicht erlebt. Er hält dies auch für nicht vertrauensfördernd. Lieber sollte der Onlinehandel Kunden individuelle Rabatte über Gutscheine gewähren und gewisses Verhalten honorieren, sagt er. Für stationäre Händler biete sich Zusatzleistung abseits des reinen Preises an, meint Mayer-Heinisch. Nachsatz mit Schmunzeln: „Etwa eine Rose und ein Bussi vom Verkaufsleiter."

Kainrath, Verena: Online-Shoppen wird zum Spielplatz für Zocker. In: Der Standard, 11.03.2015. Online: http://derstandard.at/2000012760774/Online-Shoppen-wird-zum-Spielplatz-fuer-Zocker (09.04.2015)

Bewertungskriterien eines Kommentars:

- Die Einleitung weckt mittels eines originellen Einstiegs das Interesse der Leserin bzw. des Lesers und enthält eine Bezugnahme auf den Zeitungsartikel. Der darin dargelegte Sachverhalt wird sachlich kurz dargestellt.
- Der Hauptteil enthält eine logisch aufgebaute Argumentationslinie, in der schlüssige Argumente eingesetzt und Gegenargumente sachlich begründet widerlegt werden.
- Der Schlussteil soll mit einer klaren Schlussfolgerung zum Nachdenken anregen und eventuell zum Handeln auffordern.
- Die Argumentationslinie ist klar dargestellt und für die Leserin bzw. den Leser erkennbar.
- Auf Adressatenorientierung wird geachtet. Rhetorische Stilmittel (Metapher, Vergleiche etc.) werden eingesetzt.
- Die Operatoren führen durch die Textsorte und geben die zentralen Schreibaufträge vor: informieren und argumentieren.
- Hätte man eine Ergänzung vornehmen können? Was ist Ihrer Meinung nach überflüssig?
- Die verlangte Wortanzahl wird eingehalten.

Aufgabenstellung:

Verfassen Sie einen **Kommentar**.

Sie haben sich Gedanken über den Begriff „Glück“ gemacht und dabei auch die Statistik „Glücksreport 2015“ betrachtet. Sie nehmen dies als Anlass, einen Kommentar zu den Ergebnissen der Statistik zu schreiben.

Lesen und betrachten Sie die Statistik „Glücksreport 2015“ (Textbeilage 1) aus der Tageszeitung *Kurier*.

Verfassen Sie nun einen **Kommentar** und bearbeiten Sie dabei folgende Schreibaufträge:

- **Geben** Sie in wenigen Sätzen die Ergebnisse der Umfrage Glücksreport 2015 **wieder**.
- **Bewerten** Sie, was Leute unter dem Begriff „Glück“ verstehen und wann sie sich glücklich fühlen.
- **Beurteilen** Sie den Umgang der Menschen mit dem Begriff „Glück“ im Sinn von Lebenszufriedenheit.
- **Nehmen** Sie zu Begriffen wie „Glücksspiel“ und „Glücksbringer“ im Zusammenhang mit Lebensglück **kritisch Stellung**.

Schreiben Sie zwischen 405 und 495 Wörter.

Textbeilage 1:

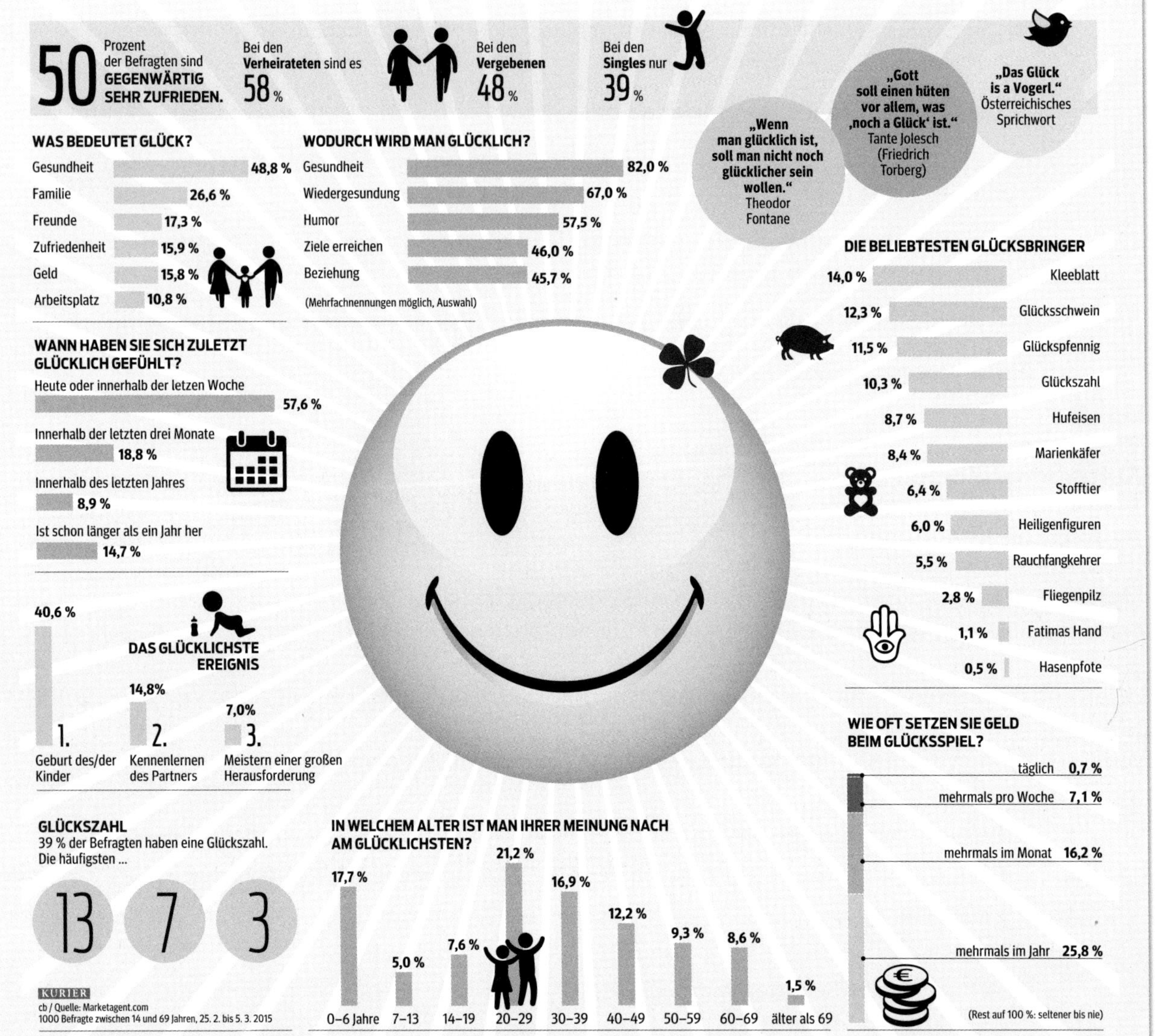

http://kurier.at/thema/infografiken/infografik-der-gluecksreport-2015/120.141.538 (09.04.2015)

Schülerarbeit:

Was ist Glück?

Als junger Mensch, welcher freudig in seine Zukunft blickt, möchte ich einen Kommentar zu dem Thema „Glück" verfassen. Glück ist ein Begriff, welcher sehr schwer zu definieren ist. Als Anregung habe ich die Statistik „Glücksreport 2015", welche am 18.3.2015 in der Tageszeitung „Kurier" veröffentlicht worden ist, gelesen.

Laut dieser Statistik sind 50 Prozent der Befragten sehr zufrieden mit ihrem Leben. Schaut man sich die Aufteilung jedoch genauer an, sieht man, dass bei den Singles nur 39 Prozent glücklich und zufrieden sind. Des Weiteren kann man aus der Statistik erkennen, dass Faktoren wie Gesundheit, Wiedergesundung und Humor am meisten zur Zufriedenheit und zum persönlichen Glück beitragen. Das Sprichwort „Das Glück is a Vogerl" ist in Österreich weit verbreitet. Um das Glück etwas greifbarer und kalkulierbarer zu machen, schenken sich viele Menschen gegenseitig kleine Glücksbringer. Am meisten verbreitet ist das Kleeblatt, gefolgt vom Glücksschwein und dem Glückspfennig. Eine Interessante Erkenntnis ist auch, dass 21,2 Prozent der Befragten meinen, dass man im Alter von 20 bis 29 Jahren am glücklichsten sei. Am wenigsten glücklich sei man, wenn man älter als 69 Jahre ist.

Doch was verstehen Menschen eigentlich wirklich unter dem Begriff Glück? Menschen definieren Glück mit viel mehr, als man aus dieser Statistik lesen kann. Glück kann in jeder Lebenssituation auftreten, wie beispielsweise am Arbeitsplatz, zu Hause oder am Sportplatz. Es überrascht, dass die Gesundheit der wichtigste Faktor ist, wodurch man glücklich werden kann. Meiner Meinung nach zeigt dies, dass solche Statistiken nicht immer wahrheitsgemäß beantwortet werden. Gesundheit wünschen sich die meisten erst, wenn sie krank sind. Davor wird oft keine Sekunde an die Gesundheit gedacht und weiter Fast Food gegessen oder exzessiv geraucht.

Die Lebenszufriedenheit hat sehr viel mit Glück zu tun. Es ist klar, dass Glück unmittelbar zur Zufriedenheit beiträgt, man bedenke jedoch, dass Glück kein anhaltender Zustand ist, sondern jedes Mal aufs Neue „herausgefordert" werden muss. 18,8 Prozent haben sich innerhalb der letzten drei Monate mindestens einmal glücklich gefühlt.

Leider nutzen sehr viele Konzerne den Begriff „Glück", um Menschen zu suggerieren, dass sie durch Glücksspiel oder andere Dinge Lebensglück finden. Diese Konzerne, wie zum Beispiel Casinos, nutzen jedoch den Begriff aus. Viele Menschen verfallen einer Spielsucht und kommen ohne psychiatrische Betreuung nicht mehr davon weg. Es wird bewusst und aggressiv mit „Glück" geworben, da sozial schwächere Menschen glauben, dass sie sich Glücksgefühle erspielen beziehungsweise erkaufen können. Auch Glücksbringer vermitteln ein ähnliches Gefühl.

Die meisten Menschen halten Gesundheit, Geld und eine liebevolle Beziehung für die Eckpfeiler eines glücklichen Lebens. Wichtig anzumerken ist, dass man Glück nicht erkaufen kann. Es sollte auch deshalb auch weitere Gesetze geben, die das gewerbliche Glücksspiel noch mehr eingrenzen und nicht fördern. Denn so entsteht eine kranke Gesellschaft, welche für den Steuerzahler eine enorme Belastung ist.

Sebastian (Schüler), Wörter: 451

6 EMPFEHLUNG DER SEMESTERWEISEN AUFTEILUNG DER KAPITEL FÜR HAK/HUM/HTL/HLFS

5. Semester

	Sept.	Okt.	Nov.	Dez.	Jan.
Kapitel 1 Check: Wissen und Können	X				
Kapitel 2 Kommunikation 2.1 Die Kunst des Redens	X				
Kapitel 3 Lesen 3.1 Lesen – Verstehen – Analysieren (Auswahl) 3.1.1 Was Sachtexte aussagen 3.1.2 Sachtexte analysieren		X			
Kapitel 4 Sprache 4.1 Schreibrichtigkeit (Auswahl) 4.2 Sprachrichtigkeit (Auswahl) 4.3 Stil- und Ausdrucksübungen (Auswahl)	Querschnittmaterie über das Semester				
Kapitel 5 Portfolio 5.1 Das Arbeiten am Kulturportfolio 5.2 Leseportfolio anhand eines epischen Textes 5.5 Resümee	Querschnittmaterie über das Semester				
Kapitel 6 Schreiben 6.3 Argumentieren (Auswahl) 6.4 Kommentieren und Appellieren (Auswahl) 6.5 Analysieren und Interpretieren literarischer Texte (Auswahl)	X	X	X	X	X
Kapitel 6 Schreiben 6.1 Die Bedeutung von Operatoren für Ihr Schreiben 6.2 Prozessorientiertes Schreiben	Querschnittmaterie über das Semester				
Kapitel 7 Medien 7.1 Mediennutzung 7.2 Der gläserne Mensch				X	
Kapitel Literatur, Kunst und Gesellschaft 8.1 Der Film als Erzählform				X	X

6. Semester

	Feb.	März	April	Mai	Juni
Kapitel 2 Kommunikation 2.2 Miteinander reden	X				
Kapitel 3 Lesen 3.1 Lesen – Verstehen – Analysieren (Auswahl) 3.1.1 Was Sachtexte aussagen 3.1.2 Sachtexte analysieren 3.2 Das Lesen literarischer Texte	X	X			
Kapitel 4 Sprache 4.1 Schreibrichtigkeit (Auswahl) 4.2 Sprachrichtigkeit (Auswahl) 4.3 Stil- und Ausdrucksübungen (Auswahl)	Querschnittmaterie über das Semester				
Kapitel 4 Sprache 4.4 Die Macht der Sprache				X	X
Kapitel 5 Portfolio 5.3 Leseportfolio anhand eines dramatischen Werkes 5.4 Portfolio: Literatur und Film		X	X	X	
Kapitel 6 Schreiben 6.1 Die Bedeutung von Operatoren für Ihr Schreiben 6.2 Prozessorientiertes Schreiben	Querschnittmaterie über das Semester				
Kapitel 6 Schreiben 6.3 Argumentieren (Auswahl) 6.4 Kommentieren und Appellieren (Auswahl) 6.5 Analysieren und Interpretieren literarischer Texte (Auswahl)	X	X	X	X	X
6.6 Einführung in das wissenschaftliche Arbeiten			X	X	X
Kapitel 7 Medien 7.3 Bewertung von Informationen 7.4 Die Literatur in den Medien			X		
Kapitel 8 Literatur, Kunst und Gesellschaft 8.2 Die Dramatik				X	X

Semesterplanung 5. Semester

September	**Kapitel 1 Check: Wissen und Können** **Kapitel 2 Kommunikation** 2.1 Die Kunst des Redens **Kapitel 6 Schreiben** 6.3 Argumentieren (Auswahl) 6.4 Kommentieren und Appellieren (Auswahl) 6.5 Analysieren und Interpretieren literarischer Texte (Auswahl)	**Querschnittsmaterien über das Semester** **Kapitel 4 Sprache** 4.1 Schreibrichtigkeit (Auswahl) 4.2 Sprachrichtigkeit (Auswahl) 4.3 Stil- und Ausdrucksübungen (Auswahl) **Kapitel 5 Portfolio** 5.2 Reflektieren kann man lernen (Wh.) 5.3 In der Vielfalt liegt Ihre Stärke (Fortsetzung) **Kapitel 6 Schreiben** 6.1 Die Bedeutung von Operatoren für Ihr Schreiben 6.2 Prozessorientiertes Schreiben **Schularbeit** HAK: eine zweistündige Schularbeit HLW/HLT: eine ein- oder zweistündige Schularbeit HTL: eine oder zwei einstündige Schularbeiten HLFS: eine zweistündige Schularbeit
Oktober	**Kapitel 3 Lesen** 3.1 Lesen – Verstehen – Analysieren (Auswahl) 3.1.1 Was Sachtexte aussagen 3.1.2 Sachtexte analysieren **Kapitel 6 Schreiben** 6.3 Argumentieren (Auswahl) 6.4 Kommentieren und Appellieren (Auswahl) 6.5 Analysieren und Interpretieren literarischer Texte (Auswahl)	
November	**Kapitel 6 Schreiben** 6.3 Argumentieren (Auswahl) 6.4 Kommentieren und Appellieren (Auswahl) 6.5 Analysieren und Interpretieren literarischer Texte (Auswahl)	
Dezember	**Kapitel 6 Schreiben** 6.3 Argumentieren (Auswahl) 6.4 Kommentieren und Appellieren (Auswahl) 6.5 Analysieren und Interpretieren literarischer Texte (Auswahl) **Kapitel 7 Medien** 7.1 Mediennutzung 7.2 Der gläserne Mensch	
Jänner	**Kapitel 6 Schreiben** 6.3 Argumentieren (Auswahl) 6.4 Kommentieren und Appellieren (Auswahl) 6.5 Analysieren und Interpretieren literarischer Texte (Auswahl) **Kapitel 8 Literatur, Kunst und Gesellschaft** 8.1 Der Film als Erzählform	

Textsorten in HAK, HLW, HUM (HLT, HTL), HLFS laut neuen Lehrplänen

Semester	HAK	HUM	HTL	HLFS
5.	offener Brief, Kommentar, Textanalyse	Motivationsschreiben, Erörterung	Leserbrief, offener Brief	Meinungsrede, Leserbrief, offener Brief, Empfehlung

Semesterplanung 6. Semester

Februar	**Kapitel 2 Kommunikation** 2.2 Miteinander reden **Kapitel 3 Lesen** 3.1 Lesen – Verstehen – Analysieren (Auswahl) 3.1.1 Was Sachtexte aussagen 3.1.2 Sachtexte analysieren 3.2 Das Lesen literarischer Texte **Kapitel 6 Schreiben** 6.3 Argumentieren (Auswahl) 6.4 Kommentieren und Appellieren (Auswahl) 6.5 Analysieren und Interpretieren literarischer Texte (Auswahl)	**Querschnittsmaterien über das Semester** **Kapitel 6 Schreibprozesse** 6.1 Der Weg zum Text 6.2 Prozessorientiertes Schreiben **Schularbeit** HAK: eine zweistündige Schularbeit HLW/HLT: eine ein- oder zweistündige Schularbeit HTL: eine oder zwei einstündige Schularbeiten HLFS: eine zweistündige Schularbeit
März	**Kapitel 3 Lesen** 3.1 Lesen – Verstehen – Analysieren (Auswahl) 3.1.1 Was Sachtexte aussagen 3.1.2 Sachtexte analysieren 3.2 Das Lesen literarischer Texte **Kapitel 5 Portfolio** 5.3 Leseportfolio anhand eines dramatischen Werkes 5.4 Portfolio: Literatur und Film **Kapitel 6 Schreiben** 6.3 Argumentieren (Auswahl) 6.4 Kommentieren und Appellieren (Auswahl) 6.5 Analysieren und Interpretieren literarischer Texte (Auswahl)	
April	**Kapitel 5 Portfolio** 5.3 Leseportfolio anhand eines dramatischen Werkes 5.4 Portfolio: Literatur und Film **Kapitel 6 Schreiben** 6.3 Argumentieren (Auswahl) 6.4 Kommentieren und Appellieren (Auswahl) 6.5 Analysieren und Interpretieren literarischer Texte (Auswahl) 6.6 Einführung in das wissenschaftliche Arbeiten **Kapitel 7 Medien** 7.3 Bewertung von Informationen 7.4 Die Literatur in den Medien	
Mai	**Kapitel 4 Sprache** 4.4 Die Macht der Sprache **Kapitel 5 Portfolio** 5.3 Leseportfolio anhand eines dramatischen Werkes 5.4 Portfolio: Literatur und Film **Kapitel 6 Schreiben** 6.3 Argumentieren (Auswahl) 6.4 Kommentieren und Appellieren (Auswahl) 6.5 Analysieren und Interpretieren literarischer Texte (Auswahl) 6.6 Einführung in das wissenschaftliche Arbeiten **Kapitel 8 Literatur, Kunst und Gesellschaft** 8.2 Die Dramatik	
Juni	**Kapitel 4 Sprache** 4.4 Die Macht der Sprache **Kapitel 6 Schreiben** 6.3 Argumentieren (Auswahl) 6.4 Kommentieren und Appellieren (Auswahl) 6.5 Analysieren und Interpretieren literarischer Texte (Auswahl) 6.6 Einführung in das wissenschaftliche Arbeiten **Kapitel 8 Literatur, Kunst und Gesellschaft** 8.2 Die Dramatik	

Textsorten in HAK, HLW, HUM (HLT, HTL), HLFS laut neuen Lehrplänen

Semester	HAK	HUM	HTL	HLFS
6.	Kommentar, offener Brief, kreative Texte	Appell, Erörterung, Empfehlung	Kommentar, Erörterung	Kommentar, kreative Texte

Quellenverzeichnis

(6) Orth, Stefan: Traumjob zu vergeben: Australische Paradiesinsel sucht Ranger.
In: Spiegel, 13. 1. 2009. Online: www.spiegel.de/reise/aktuell/
traumjob-zu-vergeben-australische-paradiesinsel-sucht-ranger-a-600989.html
(12) Lebert, Hans: Die Wolfshaut. Hamburg, Wien, Europa Verlag, 2001
(16) Lebert, Hans: Die Wolfshaut. Hamburg, Wien, Europa Verlag, 2001
(17) Lebert, Hans: Die Wolfshaut. Hamburg, Wien, Europa Verlag, 2001
(24) In Anlehnung an: Baustein zur nicht-rassistischen Bildungsarbeit.
Online: http://baustein.dgb-bwt.de/index.php4
(33) Thienen, Pia: 6 Sekunden, die über Ihr Leben entscheiden.
In: Die Presse, 4. 2. 2015. Online: http://diepresse.com/home/diverse/karriereapp/4654723/6-sekunden-die-uber-ihr-leben-entscheiden?from=suche.intern.portal
(35 f) Kainrath, Verena: Online-Shoppen wird zum Spielplatz für Zocker.
In: Der Standard, 11. 3. 2015. Online: http://derstandard.at/2000012760774/
Online-Shoppen-wird-zum-Spielplatz-fuer-Zocker
(38) http://kurier.at/thema/infografiken/infografik-der-gluecksreport-2015/
120.141.538

Das Trainingsangebot für den erfolgreichen Abschluss:

- ✓ **Klausur:** Prüfungsablauf, Textsorten und deren Bewertungs- und Qualitätskriterien, Trainingsaufgaben und Übungsklausuren inkl. Lösungshilfen und Schülerarbeiten
- ✓ **Mündliche Prüfung:** Prüfungsablauf und Trainingsaufgaben
- ✓ **Kompensationsprüfung:** Informationen zur Durchführung, Übungsbeispiele

Mein MATURA-Coach DEUTSCH
Sabine Schwabl, Nicole Binder
208 Seiten, A4, vierfärbig
ISBN 978-3-7100-3963-8

Der neue MATURA-Coach – DEUTSCH unterstützt bei der Vorbereitung auf die schriftliche und mündliche Reife- und Diplomprüfung sowie die Kompensationsprüfung.

zu Schulbuch-Nr. 170 356

das deutschbuch 3 – Aktualisierung
Begleitheft für Lehrerinnen und Lehrer

ISBN 978-3-7100-**4021**-4
9 783710 040214

www.westermanngruppe.at 01001